Rancho Hollywood

y otras obras del teatro chicano

Rancho Hollywood
y otras obras del teatro chicano

Carlos Morton

EL MILAGRO

Ediciones El Milagro
Colonia Juárez
1999

Arte Público Press
Houston, TX
1999

Rancho Hollywood, de Carlos Morton, se terminó de imprimir el día 14 de junio de 1999, en los Estados Unidos.

Diseño de la portada: James F. Brisson. El cuidado de la edición estuvo a cargo de René Rabell y la tipografía y la formación las realizó Sofía Blacio. La edición consta de 3000 ejemplares, más sobrantes para reposición. Coordinador editorial: David Olguín y Pablo Moya.

La realización de esta antología no hubiera sido posible sin la colaboración del Instituto para México y Estados Unidos de la Universidad de California (UC MEXUS)

University of Houston
Houston, TX 77204-2174
Estados Unidos

Morton, Carlos.
Rancho Hollywood y otras obras del teatro chicano / Carlos Morton.
p. cm.
Contents: Rancho Hollywood -- Johnny Tenorio -- El Jardin.
ISBN 1-55885-289-1 (trade paper)
1. Morton, Carlos Translations into Spanish.
2. Mexican Americans Drama I. Title
PS3563.088194A57 1999
812'.54--dc21 99-27468
CIP

Milán 18
Colonia Juárez
06600 México, D.F.

Morton, Carlos.
Rancho Hollywood y otras obras del teatro chicana / Carlos Morton
p. cm.
Contiente: Rancho Hollywood, Johnny Tenorio y El Jardín
I. Mexican - Americans - Drama I. Title.
PS3572. A38726 1999
812'.54-DC20
ISBN: 968-6773-48-7

Impreso en Estados Unidos

Índice

Un dramaturgo chicano

> "...el término chicano abarca todo un universo ideológico que sugiere no sólo la audaz postura de autodeterminación y desafío, sino también el empuje regenerativo de autovoluntad y de autodeterminación, potenciado todo ello por el latido vital de una conciencia de crítica social, de orgullo étnico-cultural; de concientización de clase y de política"
>
> **Tino Villanueva.**

Con frecuencia nos llegan noticias de los productos teatrales de Broadway; a veces, por cierto, más tecnología que teatro. No sorprende, entonces, que algunos espectadores mexicanos estén mejor informados de lo que pasa en los escenarios neoyorquinos que lo que sucede en los del Distrito Federal. También llegan, los nuevos textos de Mamet, Shepard y Albee, pero no las obras de los autores chicanos, porque estos dramaturgos no pertenecen a estos circuitos.

Dentro de las minorías que construyen su propio teatro en la sociedad norteamericana —teatro gay, teatro negro, teatro latino— existe la dramaturgia chicana. Sólo que ésta forma parte de un teatro comunitario, de barrios o grupos independientes, al amparo de universidades o de fondos públicos, como el Teatro Dallas de Cora Cardona, la Fundación Bilingüe para las Artes de Carmen Zapata y Margarita Galbán en Los Angeles, el grupo Sinergia de Rubén Amabisca en esta misma ciudad, el teatro Rodante Portorriqueño de Miriam Colon, en Nueva York, que no obstante su nombre, incluye en su repertorio obras mexicanas y chicanas, por solo citar algunos ejemplos.

Los actores de estas compañías representan sus obras alternativamente, en inglés y en español, y en ellas aparecen nuevas voces, voces mestizas, más aún, una tercera lengua: el pocho, el texmex o como se llame, que se genera lenta, pero constantemente en las comunidades de origen latino y que el teatro recoge del habla cotidiana.

El teatro chicano, como la pintura, la poesía, la novela y la música, da cohesión y sentido a las comunidades mexico-norteamericanas que, asimiladas en la vasta y plural sociedad norteamericana, no desaparecen sino que se aferran a su identidad en un afán ancestral de supervivencia.

Poco se sabe en México del teatro chicano. Estamos tan cerca, pero somos tan distantes, que sabemos más de un estreno en Polonia que de una obra chicana en Arizona.

El teatro chicano acaba de nacer, como quien dice. Mientras el teatro de los griegos va para el tercer milenio, el teatro chicano va para su tercera década, si consideramos los años sesenta como su fecha de nacimiento, con el Teatro Campesino de Luis Valdés en California.

En enciclopedias, antologías y ensayos publicados antes de los años sesenta en Estados Unidos, no se encuentra mención alguna de dramaturgos chicanos. Véase, por ejemplo, el libro *Dramaturgos norteamericanos modernos* de Jean Gould, de Editorial Limusa-Wiley, que apareció en español en 1968; no hay mención de algo que tenga que ver con el teatro chicano.

Al otro lado del Bravo circulan estudios y antologías de Jorge Huerta, Nicolás Kanellos, William B. Martín y Charles Tatum sobre el teatro chicano en los que aparece Carlos Morton. Y ya empieza a haber estudios sobre su obra. En la Universidad del Estado de Arizona, María Alicia Arvizon escribió su tesis de maestría, *Estrategias dramáticas en la obra de Carlos Morton Pérez*, donde analiza, precisamente, las tres obras que se incluyen en la presente antología.

Tino Villanueva dio cuenta en México de los escritores chicanos en *Chicano*, su antología histórica y literaria publicada por el Fondo de Cultura Económica en 1980. En esta compilación, el más documentado y exhaustivo libro sobre la cultura chicana, hasta ahora, aparece una primera versión de *El Jardín*, texto breve mitad inglés, mitad español.

También a través de las revistas *Latin America Theatre Review* de Kansas y *Conjunto* de Cuba, hemos tenido noticias del teatro chicano de Carlos Morton.

El primer estudio formal de un investigador mexicano sobre el teatro chicano, se encuentra en *El teatro norteamericano* de Alfredo Michel, editado por el Instituto Mora en 1993; es el texto más completo, serio y riguroso que se haya publicado en México. Ahí, el investigador dedica un apartado al teatro chicano de Luis Valdés, apunta algunas conclusiones sobre el teatro chicano y menciona a Morton.

De acuerdo con Michel, los críticos generales del teatro norteamericano le reservan al teatro chicano un lugar incómodo, perdido entre los derivados del teatro político de los sesenta y la curiosidad.

Poco sabemos del teatro chicano, menos aún de Carlos Morton, a pesar de que éste y Valdés son los dramaturgos más representados a lo largo de Estados Unidos por grupos y compañías de pequeños poblados y de las grandes ciudades, donde vive esa comunidad llamada méxico-norteamericana o chicana para diferenciarla de los latinos o hispanos, como gustan llamarse los descendientes de emigrantes de otros países de iberoamérica.

En la antología *Teatro Norteamericano Contemporáneo*, editada por El Milagro, se incluye una obra de Carlos Morton, *Las muchas muertes de Danny Rosales.* Robert Potter, el introductor de dicha antología, hace una justa apreciación y un certero retrato de este dramaturgo, hoy por hoy, el más leído, representado y querido por la comunidad chicana. Y la misma editorial y Arte Público Press emprenden ahora la edición de tres textos de Carlos Morton que servirán de punto de partida para que en México se inicie la divulgación de su obra y la de otros dramaturgos que están construyendo las bases de un teatro propio, que da voz al espíritu chicano.

Origen es marca y destino

Los abuelos de Carlos Morton fueron mexicanos, peros sus padres nacieron en Estados Unidos. Él vino a ser un chicano de segunda generación, nacido en la ciudad de Chicago, en 1947. Sus abuelos maternos provienen de Villa de Arriaga y los paternos de Real del Monte, en Pachuca, Hidalgo. Su madre se apellida López Tejeda y su abuelo paterno López, mismo apellido que debió heredar su hijo y su nieto.

¿De dónde viene entonces el apellido Morton? De la necesidad de sobrevivir en un país anglosajón y del ingenio y de la picardía del mexicano. La anécdota parece extraída de una de las obras de Carlos Morton, pero es real. Carlos López, su abuelo, llegó a Chicago en 1917 y se encontró sin trabajo. Había empleos, pero éstos eran dados a los trabajadores gabachos. Entonces se cambió el apellido y decidió llamarse Morton, como la marca de sal, tan popular en todos los hogares.

Hombre inquieto, Morton ha ido de un lado a otro de la Unión Americana. En su vida estudiantil y en sus experiencias como profesor, siempre cerca de la frontera con México, ha sido involuntario testigo y sensible observador de los conflictos que viven cotidianamente los chicanos.

Morton estudió su bachillerato en artes en El Paso, en 1973; su maestría en drama en San Diego, en 1979, y obtuvo su doctorado en teatro, en Austin, en 1987. Trabajó como profesor de teatro en el Laredo Junior College, en 1986 y 1987; en la Universidad de Texas El Paso, en 1998 y 1989, y en la Universidad de California con sede en Riverside desde 1990, lugar donde actualmente es profesor de tiempo completo, en una zona caracterizada por ser sitio de afluencia y confrontación de la población de origen mexicano. Ahí sucedió, precisamente, el incidente grabado en video desde un helicóptero, donde los agentes de migración golpearon salvajemente a inmigrantes mexicanos atrapados en el *freeway*.

Cuando Morton vivía en Laredo, Texas, su casa se encontraba a las orillas del Río Bravo, el Río Grande como él y los norteamericanos le llaman. Desde su ventana, el dramaturgo era testigo del cruce ilegal de los indocumentados mexicanos, que luego llegaban a su puerta pidiendo ayuda.

Fue en Laredo donde Morton recibió la noticia de que su obra *Las muchas muertes de Danny Rosales* (originalmente llamada *Las muchas muertes de Richard Morales*, sobre el asesinato en Texas de un chicano del mismo nombre) había ganado un concurso y sería producida por el New York Shakespeare Festival que dirige Joseph Papp. Esta obra había nacido como un ejercicio de dramaturgia en San Diego en 1976, donde Morton estudiaba. En un taller de actores, directores y dramaturgos, él debía escribir un texto sobre un hecho real, para ser dirigido y actuado por los demás miembros.

Sus obras las ha ido creando aquí y allá, pero salen de sus manos y circulan en fotocopias y revistas marginales, y son llevadas a la escena en múltiples ciudades: Nueva York, Los Angeles, Dallas, Chicago, Tucson,

San Diego, y en pequeños pueblos de Arizona, California y Texas, aunque a veces ni el autor se entera de sus montajes.

¿Cómo llega Carlos Morton al teatro?

En la ciudad de Chicago existe un lugar llamado Second City, la escuela más antigua de improvisación, de donde surgieron famosos comediantes norteamericanos; funciona de día y de noche y se hace teatro para adultos y para niños.

Como actor de teatro infantil y como alumno en las clases de improvisación, con base en el sistema creado por Josephine Forsberg, principal impulsora de la improvisación popular, Morton tuvo en 1966 su primer contacto con la estructura dramática y con el conflicto teatral. Descubrió que el actor podía y debía escribir. A los diecinueve años, este actor descubrió su vocación de dramaturgo.

La primera obra de Morton, con una lejana influencia de Albee, fue *Desolation Car Lot* (1971), comedia de humor negro cercana al teatro del absurdo, en la que una pareja méxico-americana visita un lote de carros usados, casi un deshuesadero, compra un automóvil viejo y se va al desierto con él. *Desolation Car Lot* es la metáfora de los países latinoamericanos que adquieren del primer mundo tecnología caduca o en desuso que agrava sus problemas.

Entre su secundaria y su bachillerato pasaron diez años, tiempo en el que desarrolló los más variados oficios, taxista actor y periodista, e hizo un largo recorrido por toda Latinoamérica, desde Estados Unidos hasta Santiago De Chile, viajando de aventón. En 1975 vivió en el estado de Morelos, vinculado al grupo de teatro Mascarones y a la colonia proletaria Rubén Jaramillo, en tiempos del Güero Medrano, líder y agitador social, posteriormente asesinado.

En 1974 estuvo como observador del Teatro Campesino de Luis Valdés, en San Juan Bautista. Deseaba ingresar a la compañía, pero finalmente no se decidió pues no estaba de acuerdo con la mística y organización del grupo.

En 1979, trabajó durante dos años como escritor en la compañía de teatro rodante San Francisco Mime Troupe. En este grupo escribió dos obras políticas, *Electro Bucks* (billetes electrónicos) y *Squash*, sobre el Valle de San José, donde se encuentra la industria del silicón.

Edward Albee es una de sus primeras influencias. En El Paso, Morton experimentó con un sistema de creación dramática muy personal. En su departamento enfrenta machos y feministas o parejas disparejas, las embriaga, provoca la discusión, observa su comportamiento, extrae el conflicto y lleva al papel los parlamentos.

Pero en ese momento, el movimiento chicano cunde y crece en el país. Morton siente que este método de trabajo es sólo un ejercicio intelectual y decide usar el teatro para ir en busca de su propia identidad y al encuentro de su espíritu, de sus sentimientos, de su historia.

Como chicano, al igual que otros chicanos, quiere encontrar sus raíces y descubrir quién es en un país donde no es ni mexicano ni anglo, ni español, ni indio.

Si bien Morton confiesa ser un apasionado de Shakespeare, Brecht y Shaw, sus adaptaciones teatrales, versiones libres de textos clásicos, las ha hecho a partir de Moliere (*El Avaro*), José Zorrilla (*Don Juan Tenorio*) y Eurípides (*Medea*), a quienes siente más cercanos, por el humor latino al primero, por el espíritu español y el donjuanismo —origen del machismo chicano— al segundo, y por el paralelismo de Malinche y Cortés con los personajes griegos, al tercero.

En su afán de divulgar el teatro mexicano en Estados Unidos, Morton se ha convertido en traductor. Así, tradujo al inglés y promovió la publicación de *Juegos profanos* de Carlos Olmos, *El árbol* de Elena Garro, *Las ondas de la Catrina* de Eduardo Rodríguez Solís y *Homicidio calificado* (El Caso Santos) de Víctor Hugo Rascón Banda.

Además de escribir teatro, Morton ha sido un observador del teatro. En diversas épocas de su vida se ha visto obligado a escribir crítica para llenar el vacío de información sobre el teatro chicano y el teatro marginal que se hace en las comunidades de origen hispano, y sus críticas han aparecido en diversas revistas especializadas, principalmente en Nueva York.

Recientemente ha incursionado en la ópera, escribiendo el libreto de *La sal de la tierra*, ópera inspirada en la película norteamericana del mismo nombre, filmada en 1955, que protagonizara la actriz mexicana Rosaura Revueltas. Esta ópera, con música de David Bishop, fue comisionada por la AFL-CIO de Wisconsin, la poderosa central de trabajadores que agrupa, entre otros, a transportistas y acereros de Estados Unidos y será estrenada en 1999 en Madison, Wisconsin.

La radio, medio educador, tampoco le ha sido ajeno. Morton ha escrito dos radionovelas, *Eres un sueño* y *Éramos seis*, destinadas a los trabajadores mexicanos que emigran a los Estados Unidos y a las comunidades méxico-norteamericanas. Con la dirección y colaboración de Manuel Bauche, éstas han sido producidas por el Programa de Comunidades Mexicanas en el Extranjero de la Secretaría de Relaciones Exteriores y por el Instituto Mexicano de la Radio, IMER. También en el radio aparecen las obsesiones de Morton, respecto a los problemas de integración de inmigrantes mexicanos con la población chicana y anglosajona.

En Tucson y Phoenix, acaba de estrenar *La Malinche*, con escenografía de Mónica Raya. Para Morton, la Malinche es Medea, Cortés es Jasón, tienen un hijo llamado Martín y la Llorona funciona como el coro de la obra.

Cortés y Malinche han vivido juntos siete años, y Cortés se dispone a abandonarla para casarse por ambición con una nieta del Rey de España para que la ayude en su ascenso social. Le promete a Malinche que hará de su hijo un Marqués, pero ella y la Llorona se dan cuenta que Cortés ha incumplido su promesa de construir una nueva raza y que Martín será el instrumento de la conquista.

Los mismos reclamos de Medea, el abandono y la traición después de la ayuda prestada, transfiere Morton a la Malinche, quien entrega su hijo a la Llorona, que lo sacrifica.

Las tres obras que se publican en esta antología, *El Jardín*, *Johnny Tenorio* y *Rancho Hollywood*, no son las más complejas, innovadoras y ambiciosas dentro de la ya vasta dramaturgia de Carlos Morton, como lo serían por ejemplo *Las muchas muertes de Danny Rosales* y *El Salvador*, obras políticas y de búsqueda, donde el autor experimenta con el drama documental y logra interesantes y valiosos hallazgos en estructura, lenguaje escénico y eficacia teatral. Sin embargo, las tres obras antologadas ejemplifican la escencia del teatro chicano, la búsqueda de su pasado y el registro de una forma de ser. Un teatro para construir una identidad y un espejo para encontrar el origen.

Las tres obras representan también tres instantes diversos en la evolución de la dramaturgia de Carlos Morton. Han sido representadas en inglés y español, alternativamente, ante un público hispanoparlante de Estados Unidos, pero también ante un público desinformado, un público chicano que ha olvidado el español y sólo entiende el inglés.

Las tres obras han sido producidas profesionalmente, *El Jardín* en Nueva York, *Johnny Tenorio* en Dallas, por la compañía de Cora Cardona y *Rancho Hollywood* en Los Angeles y en la ciudad de México.

Luis Valdés ha dicho que el teatro chicano es una combinación de Cantinflas y de Berthold Brecht, uno por la forma y el lenguaje, el otro por el fin didáctico. Esta frase cobra sentido precisamente en estas tres obras antologadas donde es posible apreciar un mestizaje lingüístico, cultural y social, en el que coexisten tres lenguas, el inglés, el español y el texmex, que está naciendo.

En las tres obras se observa el humor, la burla y la crítica, heredados del teatro popular mexicano, el de carpa, el de revista y el del teatro callejero.

El Jardín

En *El Jardín*, a la que su autor insiste en considerar su primera obra teatral, confluye el sketch de la carpa mexicana, la parodia, la burla y el humor popular, llano y simple, pero también aparece el catolicismo, la religión de los chicanos, con sus dogmas, sus misterios, sus pecados y su iglesia, que después aparecerán también en *Pancho Diablo*, *Johnny Tenorio*, *Lilith*, y *El Salvador*.

El dramaturgo, por necesidades de reparto o por analogía de los personajes, propone en esta obra extrañas transferencias. Dios es también Cristóbal Colón, mientras que Adán es también Taíno, el indígena boricua de Puerto Rico, y la Serpiente es también Matón, un vendedor de sueños y de inquietudes y Padre Ladrón y Muerte.

La obra se caracteriza por su humor popular, por el aspecto lúdico y las canciones que sirven a los personajes para reflexionar. Teatro didáctico e ingenuo a veces, pero de comunicación directa y eficaz con el público al que va dirigido, público también ingenuo, que por primera vez se ve reflejado en la escena.

Eva es fiel al estereotipo de la mujer en el teatro evangelizador. Es ambiciosa, inconforme, vanidosa, impulsiva; en tanto que Adán es equilibrado, sensato, precavido y algo conformista.

A lo largo del texto existen constantes referencias al sistema de vida en Estados Unidos, que permiten al dramaturgo introducir observaciones críticas que le dan a su teatro un marcado sello político.

En *El Jardín* coexisten referencias al pasado prehispánico de los mexicanos (Aztlán, las pirámides, la raza) tan caro y preciado por los chicanos como signo de identidad, junto con la religión católica que en su vida cotidiana oponen como barrera al protestantismo anglosajón.

Afloran en el texto enseñanzas y preceptos del catecismo católico que el autor utiliza a veces en sentido crítico (Dios es un gran hacendado y nosotros somos los peones, dice Eva) y, en otras ocasiones, como base del razonamiento para sustentar juicios (El pecado provoca la contaminación de los ríos; la serpiente condena a Eva a ser la traicionera Malinche; el árbol prohibido es el origen de nuestros males).

La manzana del Paraíso es aquí una tuna de nopal y la Serpiente seduce a Eva, no bajo el árbol del pecado, sino sobre una pirámide. Hasta la comida mexicana es utilizada como instrumento de seducción. La Serpiente cariñosamente llama a Eva, mi enchilada, mi quesadilla, mi jalapeño, mi fajita.

Eva y Adán, al ser expulsados del paraíso, se convierten en una típica pareja chicana de clase media que vive en Los Angeles en una casa amueblada por Sears. Los reclamos de Eva por el desempleo ("¿Para esto hemos trabajado toda nuestra vida? ¿Todos estos años de colegio, perdiendo nuestros acentos y mudándonos de barrio?") son los de muchos chicanos.

Pero aparece en el texto una posible solución. *"Sabe"* es el producto o remedio que se requiere para recuperar lo perdido. Aquí el mensaje del teatro didáctico no se oculta y es directo. *"Sabe"*, dice Matón, crea conciencia de quién eres y te da los huevos para tomar acción".

Palabras de uso cotidiano, ignoradas por la Academia de la Lengua, (agüite, guachar, bato, ruca, jale) adquieren carta de naturalización cuando son puestas en boca de los personajes y cuando son escuchadas en un escenario.

Dios y la Serpiente observan el mundo. Dios sólo ve lo que quiere ver, cosas positivas (ríos azules, poesía, flores, cosechas) mientras que la serpiente señala los aspectos negativos de la civilización (drogadictos, basureros, hambrientos, aguas negras).

En su desesperación, Adán llega al extremo de vestirse de azteca y de cambiarse de nombre. Ahora se llamará Mexatexa. Pero esta reacción visceral tampoco es la solución y Eva la rechaza. Al final, el caos se ordena, hay una transacción entre el bien y el mal y un final de fiesta, como en las antiguas revistas musicales de México.

Johnny Tenorio

Carlos Morton se propone explorar el mito del don Juan a partir de una lectura muy personal del Tenorio de Zorrilla, para mostrar que el donjuanismo es el antecedente más directo del machismo en la comunidad chicana.

Con sólo cinco personajes construye el autor su Tenorio chicano. Big Berta, la cantinera del bar texano, que lleva su nombre y a quien el autor identifica con la Madre Tierra; Johnny Tenorio, el chicano burlador de mujeres; Louie Mejía, rival de Johnny y aspirante a burlador de mujeres; Don Juan, el padre de Johnny y Ana Mejía, la novia de Johnny, hermana de Louie.

La acción se ubica en una cantina de San Antonio, Texas, en el violento Barrio de las Tripas. Y en la obra confluyen el mito de don Juan y la tradición mexicana del altar de muertos, cuando los fieles difuntos visitan el altar que sus deudos les han levantado en sus hogares para recordarlos y ofrecerles sus bebidas y alimentos preferidos.

La música mexicana no falta en las obras de Morton. Toca ahora el turno de "El Corrido de Juan Charrasqueado" para presentar al protagonista y para rubricar, con su muerte, el final de la obra.

La cantina de Berta es la fuente de la juventud de Johnny Tenorio, quien vuelve siempre a ella, después de cada conquista, a confesarse y a purificar su alma. Sólo que en esta ocasión, quien vendrá no será Johnny Tenorio vivo, sino su fantasma, sin que él se dé cuenta de ello. Como tampoco estarán vivos los otros personajes, que al igual que Johnny llegan a la cantina atraídos por el altar de muertos, donde se les recuerda. En el Big Berta's bar se festeja y celebra la Muerte.

A Johnny Tenorio, parrandero, jugador y mujeriego, pero también traficante de drogas, le gusta vivir en peligro. Como infancia es destino, Johnny es marcado desde niño por el ámbito familiar y por el racismo de la escuela. "Johnny, le dice su maestra, tus manos están tan cafés que no puedo decir si están limpias o no".

Johnny hereda el machismo de su padre, don Juan, que se convierte en una maldición. Lo que Johnny hace a Ana Mejía, mentir, engañar y traicionar, es lo mismo que su padre hizo a su madre. Johnny gana una apuesta a Louie Mejía seduciendo a un número mayor de mujeres, pero ahora la apuesta será Ana, la hermana menor, apenas dieciseis años, de Louie. Aunque Ana se resiste, finalmente es burlada.

Morton contrapone el *Halloween* norteamericano a la fiesta de Día de los Muertos, pero también al Mictlán, el mundo subterráneo de los aztecas, de donde llegan los muertos convocados por Berta la cantinera-curandera. Morton utiliza a este personaje para provocar mágicamente los *flashbacks*, a través de los cuales conoceremos el pasado de Johnny Tenorio, cuyo espíritu vive en todos los chicanos.

Johnny es juzgado por aquéllos a quienes mató y causó daño, y debe arrepentirse y ser perdonado para que su alma pueda descansar en paz. Morton, como Zorrilla, opta por el perdón de Johnny y la obra concluye con una solución festiva, la fiesta del Día de los Muertos, precisamente, retomando el fin de fiesta de las revistas y carpas mexicanas.

Johnny Tenorio se representó en México en 1989 —cuando su autor se mudó aquí con ayuda de su beca Fullbright— y es una de las obras más representadas de Morton, habiéndose puesto en escena en Estados Unidos, España, Alemania y Francia.

Rancho Hollywood

Así como *Pancho Diablo* fue la secuela de *El Jardín*, así *Rancho Hollywood*, escrita en 1979, es la zaga de *Los Dorados*, indios y españoles en disputa por la california de 1820, obra creada en San Diego en 1978.

Rancho Hollywood es la continuación de esta reflexión sobre el conflicto de razas, identidades y culturas, a partir de la anexión de California a la Unión Americana. Los nombres y rasgos de cuatro de los personajes de la obra (Río Rico, Jeddeddiah Goldbanger, Ramona y Joaquín) están inspirados en personajes reales californianos. En Pío Pico, el último gobernador mexicano de California; en Jeddeddiah Smith, el primer explorador yanqui que llegó de Missouri a esas tierras; en Ramona, la heroína del libro de Helen Hunt Jackson, personaje que Dolores del Río hizo en el cine de Hollywood, y en Joaquín Murrieta, un bandido para los norteamericanos y un símbolo de la resistencia revolucionaria para los mexicanos.

Aunque ya había sido estrenada en México su obra *Johnny Tenorio* diez años atrás, *Rancho Hollywood* fue realmente la presentación de Morton en México, por la calidad del montaje producido por el Instituto Nacional de Bellas Artes en 1997 y por las repercusiones artísticas de su estreno. La obra fue dirigida por Iona Weissberg, talentosa y joven directora que tradujo el texto y lo llevó a la escena con gran fortuna, contando con la excelente escenografía de Mónica Raya, otra talentosa creadora, quien se inspiró en la estética del cómic y en los sets cinematográficos antiguos.

La obra contó además con la participación de un espléndido grupo de actores. Autor y directora trabajaron conjuntamente el texto, haciendo los ajustes que requería la puesta en escena de esta obra en la que Morton desnuda y se burla de los estereotipos del cine norteamericano.

Rancho Hollywood es la filmación del mito de la antigua California, que subyace en la sociedad actual, esa nación de razas y culturas en constante fricción, cuyo dominio no tiene todavía un ganador definitivo.

Cuando en el próximo milenio se escriba la historia del teatro chicano, figurarán en ella los dos nombres de sus progenitores. Uno será el de Luis Valdés con su teatro campesino, popular y militante de los años sesenta;

el otro será el de Carlos Morton, con su exploración de los mitos prehispánicos y mexicanos, con sus agudas y humorísticas observaciones sobre la sociedad norteamericana y con su búsqueda de la identidad chicana.

Carlos Morton, constructor de puentes entre dos países distantes, es el dramaturgo que, con su teatro, ha puesto frente a los chicanos un espejo de sus sueños y esperanzas. El teatro de Morton da luces al pueblo chicano para que valore su pasado, reconozca la dignidad de su presente y pueda enfrentar orgullosamente su futuro.

Víctor Hugo Rascón Banda

Rancho Hollywood

Sueño de California

Traducción de Iona Weissberg

Personajes

RÍO RICO:
El último gobernador mexicano de California, mexicano de mediana edad.

DOÑA VICTORIA RICO:
La esposa del gobernador, española.

RAMONA RICO:
La hija de los Rico, mestiza.

JEDDEDIAH GOLDBANGER SMITH:
Director de cine, yanqui, comerciante, minero, soldado y visionario capitalista.

POCATONTAS (SIMONHOW, GERÓNIMA):
La criada, india piel roja.

RUFUS (MARTIN, MALCOLM):
Camarógrafo, esclavo, trabajador invisible.

JOAQUÍN:
Peón, mojado, bato loco, pintor.

MADERA
ACERO

Primer acto

Rufus, como camarógrafo, asiste a Jeddediah en el rodaje de la película Ay, Ye Old California Days (Ay, la antigua California.) *Los actores principales se preparan fuera del set: Ramona, una muchacha latina muy cachonda; Joaquín, vestido de peón; Simonhow, india piel roja; Victoria, matrona española, y Rico, un hombre moreno y muy apuesto.*

JED: (*Al camarógrafo.*) ¿Ya están todos aquí? Vamos a empezar filmando la escena del balcón.

RUFUS: ¡Atención todo el mundo! ¡Silencio en el set!

JED: "La impetuosa Ramona (*entra Ramona*) se pasea nerviosa por su balcón en espera de su desafortunado amor." Zapateas, aplaudes y dices tu línea. Cámara, *medium shot.*

RAMONA: "¡Oh, no! ¡Esto no puede continuar! ¿Dónde está mi amado Joaquín? Quiero que me lleve allá al Rancho Grande, allá donde vivía."

JED: *Very good*, Rony, pero necesito más acento. Como "estou" en vez de "esto" y "esou" en vez de "eso" y "quierou" en vez de "quiero". Y agrégale unos "Olés"... *Zoom* a *close up* en el "olé".

RAMONA: "Estou nou pu-ede continu-ar. Quierou que me lleves lejos de aquíh. ¡Olé!"

JED: *Wonderful!* ¡Me encanta! *Just imagine* California en el siglo XIX: todos esos "alegres caballeros" y "ardientes señoritas" bailando fandangos hasta el amanecer... el *Gold Rush*... San Francisco... Las misiones.... Un momento, algo me está faltando en esta escena...

RUFUS: Se le olvidó el peón.

JED: *But of course!* ¿Dónde está el peón dormilón? ¡Ja, ja, ja! (*Entra Joaquín.*) Ah, ahí estás. Me encanta tu *outfit*, es tan... no sé... típico. ¿Cómo te llamas?

JOAQUÍN: Joaquín.

JED: *Walking.* ¿Caminando?

JOAQUÍN: No, Joa-quín. Como el Valle de San Joaquín.

JED: ¿Te molesta si te llamo Jack?... Recárgate en ese nopal. Ahora híncate. (*Colocándole un sombrero que le cubre la cara.*) *That's it!*

JOAQUÍN: ¿Mi línea?

JED: (*Al Camarógrafo.*) ¿Qué dice?

RUFUS: Nada.

JED: *Sorry, Jack.* Mueve tu sombrero de vez en cuando para que el público sepa que estás vivo. ¿Qué más?

RUFUS: Entra caminando una "dama de la noche".

POCATONTAS: Soy yo, Simonhow.

JED: *Oh, a Native American!* Miren todos, una auténtica piel roja. ¡Vamos a tener tan buen "karma"! (*La abraza.*) La verdad es que yo quería que este papel lo hiciera Dolores del Río, pero a ti también te queda. Cuando empiece la escena entras meneando las caderas, así...

Cruza el set meneando las caderas.

JOAQUÍN: Ese es mi pie. Me levanto el ala del sombrero, saco la lengua, y suspiro.

JED: *Good.* (*A Rufus, el camarógrafo.*) ¿Qué sigue?

RUFUS: Sigue Victoria, la sirvienta.

VICTORIA: Yo pensaba que iba a ser la mamá de Ramona.

JED: Y lo eres, *my dear*, pero también eres la sirvienta. ¿No lo son todas las madres?... Rufus, ella qué está haciendo?

RUFUS: (*Leyendo el libreto.*) Aquí dice: "Entra preparando un tamale."

JED: *Oh, so ethnic!* ¿Dónde está tu tamale, tú, mi tamal caliente...? (*Se ríe de su propio chiste.*) Corte a *long shot.*

VICTORIA: (*Sacando un tamal de mentira.*) ¡Qué ridículo!

JED: *Excelent!* Di algo en *mexican* de vez en cuando. Lo que sea, pero que suene bien... ¿Cuál es tu línea?

VICTORIA: "Ay Ramona, olvídate de ese Joaquín. Es un bueno para nada. Muy poca cosa para ti."

JED: ¡Más acento!

RAMONA: "*Ouh*, mamá! Io lo amou, el me enci-endeh el courazoun."

JED: *OK*. Muy bien. Lo siguiente.

RUFUS: El padre, gallardo, grandioso y canoso entra azotando su látigo y bebiendo tequila.

JED: ¡Papá! ¡Papá! ¿Dónde está el papá?

RICO: Ahí voy, ahí voy...

JED: ¡Esta gente! (*Al Camarógrafo, que asiente.*) Ya sé por qué los inversionistas dicen que este es el país del mañana: todo lo dejan para mañana.

Joaquín se levanta y se estira.

VICTORIA: ¡Aquí está!

Entra Rico con una excesiva cantidad de polvos blancos en la cara. El Director no le pone mucha atención.

RICO: Perdón, me estaban maquillando.

JED: *Let's continue!* Tenemos las horas contadas, y si siguen así de lentos voy a tener que ponerme más cabrón.

RUFUS: ¡Listos, listos! ¡Silencio! ¡Silencio en el set! *Ye Olde California Days, take one.*

Joaquín se acuclilla de nuevo. Todos toman sus lugares.

JED: ¡Luces! ¡Cámara!... Esperen. (*Corre a colocar una rosa de plástico entre los dientes de Ramona.*) ¡Acción!

La dama de la noche se pasea bailando salsa. El Peón se levanta el sombrero y comienza a suspirar, sobándose las ingles.

RAMONA: (*Zapateando y aplaudiendo.*) "¡Olé! ¡Estou no puede continuar! ¿Dounde estáh mi amadou Joaquín? ¡Quie-

rou que me lleve allá al Ranchou Grande, allá donde vivía!"

VICTORIA: (*Al entrar, se le cae el tamal.*) "Ramona, olvídate de ese bueno para nada. Joaquín es muy poca cosa para ti."

RAMONA: "Pero mamá... —se te cayou el tamal— *...io lo amou.* El me enciende el courazón."

VICTORIA: "¡Pues más te vale ir apagando ese fuego! ¡Es un bandido, un pobre diablo! ¡Nada más deja que se entere tu padre... Te mata en ese momento!"

RICO: (*Entra azotando un látigo y bebiendo una botella de tequila. Grita y se mueve como Speedy González o como Trini López.*) "¡Arriba! ¡Arriba! ¡Ándale! ¡Ándale!... ¡Ajúa!"

JED: ¡Corte! ¡Corte! (*Al Camarógrafo.*) ¿Qué, son daltónicos en *casting?* ¡Pedí un gran caballero español, no un indio prieto bajado del cerro!

RICO: Pues por eso me tardé tanto; por todo este polvo que me pusieron.

VICTORIA: ¡Qué insulto! Discúlpeme, Sr. Director, pero nadie nos bajó de ningún cerro. Nosotros...

RAMONA: ¡Mamá!

VICTORIA: ...Así es m'hija, tú bien sabes que nosotros descendemos de lo más noble de la nobleza de Castilla, no del cerro.

JED: Pues sin ofender, *my friend*, pero tu esposo no se ve muy español. Y se supone que el padre de Ramona es un gran caballero de la aristocracia española.

RICO: No entiendo, señor. Aunque fuera más prieto que un moro podría ser el papá de Ramona.

VICTORIA: Sí es cierto. Ramona es mestiza.

JED: ¿Qué?

VICTORIA: Mestiza. Mitad y mitad. Si yo, que soy su madre, soy blanca, y su padre es moreno, entonces, la niña es café con leche.

RAMONA: Eso sí que nunca me lo habían dicho.

VICTORIA: Eso somos los mexicanos, una mezcolanza de indio y español.

RICO: Y árabe y judío y africano...

JED: *Veeeery interesting. Veeeery multicultural.* Pero supuestamente, esta película es acerca de los californios españoles.

RICO: Señor director, con el debido respeto, me parece que tiene un concepto muy limitado sobre la realidad californiana. La gente de esa época era mexicana, no española.

JED: *I'm very sorry, Mr. Professor*, pero eso no es lo que se vende en este rancho.

RAMONA: Escúchalo, mi amor. Mi padre sabe mucho del tema, puede que tenga algo que decirte.

RUFUS: El libreto dice que el padre de Ramona es "un gran caballero español, representativo de la nobleza californiana".

RICO: Pero muchas de las familias que fundaron la ciudad de Los Ángeles eran negros... El último gobernador de California era mulato.

RUFUS: ¿Cómo lo sabes?

RICO: Lo leí en un libro de historia. Se llamaba Pío Pico.

VICTORIA: Sí es cierto. ¡Todo eso de los españoles son puras tonterías!

RICO: Mire, si investigara un poco podría hacer una película más fiel a la realidad, y además vería que yo sí puedo actuar el papel del gobernador.

JED: *All right, Mr. Professor.* ¿Ya dijo todo lo que tenían que decir? Bueno, pues si cualquiera de ustedes quiere volver a trabajar en Hollywood, más les vale hacer lo que yo diga. A menos que no les importe que ésta sea su última chamba por estos rumbos. Y no me digan ustedes a mí qué es lo que vende mejor, *I know better.*

Sale, seguido de Rufus.

RICO: ¡Me lleva el diablo! ¡Tenía que abrir la boca!

JOAQUÍN: Oye, carnal, yo estoy de acuerdo contigo. Ya me harté de actuar en papeles de pendejo.

POCATONTAS: Yo también, pero estoy más harta de ser mesera que de actuar como mesera.

RAMONA: Este... Yo voy a hablar con Jed. Tal vez logre calmarlo un poco.

Sale. Las luces se desvanecen excepto para Rico y Victoria. Comienza a sonar un vals de la época. Mientras Rico y Victoria bailan el vals, se enciende otra luz –escenario superior– donde Joaquín y Ramona, en el balcón, se despiden en un apasionado abrazo.

VICTORIA: (*A Rico.*) A mí me parece muy bien que des tu opinión, y más si sabes tanto de la antigua California. Esos sí que debieron haber sido días maravillosos.

RICO: Vi un retrato de la esposa del gobernador. Te le pareces mucho.

VICTORIA: Seguro que fueron muy felices antes de que llegaran esos gringos endiablados.

RICO: Sí, pero vivían con el tiempo contado. Apenas se habían independizado de España cuando aparecieron todos los otros problemas... Los indios, por ejemplo.

VICTORIA: Pero si los indios eran muy buenos. Trabajaban las tierras, servían en las casas. Yo no sé como se puede vivir sin alguien como Pocatontas.

RICO: Pero cada vez se volvían más atrevidos: atacaban poblaciones, robaban ganado, mataban gente.

VICTORIA: Eso se resolvería con el tiempo. Hasta que nos volviéramos todos una sola raza.

Victoria y Rico continúan bailando. Se ilumina el balcón con Ramona y Joaquín.

JOAQUÍN: (*Continuando la conversación que tenía con Ramona.*) ¡California, en un estado libre, soberano y democrático!

RAMONA: ¡Joaquín, eres mi héroe! Te quiero taaanto, y te admiro taaanto...

JOAQUÍN: Y tú eres la mujer más florida de toda California, Ramona. Juntos lucharemos por formar un pueblo donde reine la paz y el amor.

RAMONA: Sí, Joaquín, donde reine el amor.

Pocatontas escucha escondida tras un cactus. Ramona y Joaquín están a punto de besarse cuando un grito de Rico los interrumpe. Joaquín salta del balcón y escapa. Rico,

sobresaltado, va por Joaquín. Pocatontas se esconde. Joaquín huye y Rico detiene a Ramona.

RICO: Mira a tu hija. Todo el tiempo con ese indio bueno para nada. ¡Ese jovencito no volverá a cruzar esta puerta!
VICTORIA: No te enojes, mi amor. Pocatontas estaba de chaperona.
RICO: ¡No me importa! ¡Ese hombre no volverá a poner un pie en esta casa!
RAMONA: ¿Pero, por qué no te gusta Joaquín?
RICO: ¡Te voy a decir porqué! ¡Te voy a decir porque! Bebe, perjura, lee libros subversivos, dispara al aire y planea insurrecciones. ¿Te parece suficiente?
VICTORIA: (*A Ramona, en secreto.*) Lo mismo que hacía tu padre cuando era joven.
RAMONA: ¡Virgen Santísima!
RICO: ¡Y no pronuncies en vano el nombre de nuestra señora!
RAMONA: Reconócelo, papá... lo que te molesta es que está por abrir un nuevo camino para la independencia de nosotros los californios.
RICO: Ahí la tienes, usando esa "palabrita" de nuevo... californio.
VICTORIA: Rico, es sólo una "palabrita" que usan los jóvenes de hoy para identificarse.
RICO: Porque llamarse "mexicanos", como sus padres, no es suficientemente bueno.
VICTORIA: Pero nosotros nos llamábamos "criollos" para distinguirnos de los españoles...
RICO: Eso era antes. Ahora todos somos mexicanos. Apoyamos al tricolor.

Saca una banderita de México con las iniciales del PRI.

RAMONA: Pues a mí no me gusta tu partido, papá, y no veo nada de malo en llamarse califor...
RICO: No te atrevas a mencionarla de nuevo. ¡Soy el gobernador de este territorio y me rehuso a escuchar esa palabra en mi casa!

VICTORIA: Rico, cómo eres terco. No me extraña nada que todos los jóvenes se estén rebelando.

RAMONA: La verdad es que papá no quiere a Joaquín por otra razón. ¿Por qué no lo reconoces?

RICO: ¡Mira, niña malcriada, no me hables en ese tono! Porque una cosa es cierta, y es que su gente no es "gente de razón". Apenas una generación más allá de los salvajes.

RAMONA: Papá, con todo respeto, tú dices que no te gusta Joaquín porque viene de una familia sin dinero ni educación, pero mamá me dijo que tus abuelos eran unos pobres y tristes pastores.

Victoria sacude la cabeza y gesticula "no" frenéticamente.

RICO: ¡Ajá! Tu madre taaan aristocrática, la descendiente de los conquistadores te dijo eso...

VICTORIA: Tu padre proviene de buena cepa, m'hija, de muy buena cepa.

RICO: Claro. No hay punto de comparación entre ese canalla y yo. Si es prácticamente un coyote, un naco.

RAMONA: ¡¿Le estás diciendo coyote?!... ¿Y qué eres tú? ¿Qué soy yo?

VICTORIA: ¡Ramona, más respeto a tu padre!

RAMONA: Ya entiendo. No te gusta porque no es "español".

RICO: No me gusta porque es un indio mugroso y atrevido.

RAMONA: ¿Sí? Pues déjame decirte algo: ese "indio mugroso y atrevido" me ha pedido que me case con él. ¡Y yo le he dado el sí!

VICTORIA: Pero Ramona, ¿cómo pudiste hacernos eso? Sabes bien que una chica debe consultar a sus padres antes de aceptar cualquier propuesta de matrimonio.

RICO: ¡No lo harás! ¡Antes tendrás que pasar sobre mi cadáver!

RAMONA: ¡Sí lo haré!

RICO: ¡Onta el látigo! ¡La voy a despedazar! ¡Tú te casarás solamente con alguien de tu misma clase! ¡Con alguien de pura sangre española!

RAMONA: Pero cuál es la diferencia, si tú no eres español, y yo no soy española.

RICO: Claro que lo eres.

VICTORIA: Si dices cualquier otra cosa, nadie jamás querrá casarse contigo.

RAMONA: Y yo no quiero casarme si no es con mi amado Joaquín.

RICO: Ramona, tú no conoces los prejuicios que nosotros hemos tenido que enfrentar.

VICTORIA: Escucha lo que te dice tu padre, Ramona. El sólo quiere lo mejor para ti.

RICO: La familia de tu madre en la ciudad de México le hizo el feo a nuestro matrimonio porque yo parecía moro.

VICTORIA: Es verdad, hija. Fue por eso que nos vinimos a California.

RICO: Los chilangos son muy racistas, hija. No quiero que te suceda lo mismo.

RAMONA: ¿Pero, cómo? ¿Y la raza de bronce? ¿Y los hombres de maíz?

RICO: Puros cuentos de vaqueros, Ramona. Ya ves cómo tratan a los indios en Chiapas...

RAMONA: No creo que los maltraten más que nosotros a Pocatontas.

VICTORIA: ¡Pero, hija! ¿Cómo puedes decir eso de tus padres?

RAMONA: ¿Es que no se dan cuenta? ¡Son unos hipócritas!

RICO: No te atrevas a... (*Levanta la mano para darle una bofetada. Victoria lo controla.*) ¿Por qué ya no eres mi niña de ayer, que se sentaba en mis rodillas a escuchar por qué el mar es tan salado, o por qué la luna llena tiene cara de conejo?

RAMONA: ¡Porque ya no quiero oír más cuentos!

RICO: Solía decirte que a la gente se le oscurecía la piel por beber tanto chocolate... Pero eso fue hace mucho tiempo. Y yo tengo aún la última palabra en esta casa. Nunca volverás a ver a Joaquín. Lo refundiré en el rincón más recóndito de este territorio.

RAMONA: ¡Noooooo! ¡Antes nos escaparemos! ¡Eso te lo aseguro! (Sale, desafiante.)

RICO: (*Tras ella.*) ¡Ramona! ¡Regresa aquí!

VICTORIA: Déjala que se calme. Bien sabes que aunque se casara con el hombre más blanco de California, sus hijos podrían ser tan prietos como tú. Debimos haberle dicho que tu abuela era mulata, y tu padre zapoteca, y tu madre ..

Pocatontas entra de nuevo y escucha.

RICO: ¡Basta! ¿Por qué quieres preocupar a nuestra hija con asuntos irrelevantes como mi árbol genealógico?
VICTORIA: No van a ser tan irrelevantes cuando tenga que explicarle a su marido por qué sus hijos se parecen a Coatlicue.
RICO: Óyeme, vieja, no te burles de mí.
VICTORIA: Rico...
RICO: Jamás he negado mis orígenes. Mi abuela pudo haber sido mulata, pero mis padres eran mestizos. Y yo he sabido criarme como "gente de razón": un ciudadano con derechos y obligaciones, con educación y con responsabilidades, con...
VICTORIA: ¿Dónde más que en California puedes empezar siendo negro y acabar como español?

Entra Pocatontas, apurada.

POCATONTAS: ¡Señores, señores! ¡Un barco yanqui con un hombre barbado ha entrado por la bahía!
RICO: ¿Un barbudo?
POCATONTAS: Barbudo y güero como Quetzalcóatl.
RICO: Eso me suena familiar. ¿Y ahora qué hacemos?
VICTORIA: Pues una fiestecita. Podemos invitar a cenar al capitán y ofrecerle una merienda ligera con un bailecillo y un tequilita...
RICO: Querida, es precisamente esa vida tan ostentosa la que nos está llevando a la ruina... ¿Cómo vamos a pagar la deuda externa?
VICTORIA: Con tierras, Rico: un pedacito de Arizona, un terrenito en Santa Fé, una esquinita de la misma California...

RICO: (*Sarcástico.*) Mejor les vendemos el territorio nacional...

VICTORIA: ¿Tú crees que alcance, Rico? Pero nos quedan el logo de Pemex y dos que tres conexiones en Telmex...

JED: (*Interrumpiendo la escena.*) *I love it, I love it!*... ¿Tomaste notas, Rufus? Esto se va a vender como pan caliente en el mercado latino.

RAMONA: (*A su lado.*) ¿Lo ves, Jed? Eran gente de verdad, con problemas de verdad.

RUFUS: A mí ese papá me preocupa. Me parece que es medio racista.

JED: *You're right!* Esos nacos odiando gabachos pueden causar muchos problemas. Por eso tenemos que reforzar a la migra y eliminar todas esas leyes en favor de las minorías.

RICO: (*Reentrando.*) Bueno, bueno... es algo que nosotros resolveríamos con el tiempo.

JED: ¿Saben qué? Podríamos hacer un *Amor sin barreras* en California... Este, ¿qué más?

RICO: Llegaron los yanquis. Escalando montañas, en barcos.

JOAQUÍN: Conquistaron nuestros territorios.

POCATONTAS: Trajeron a sus esclavos.

JED: Podríamos pedirle a O.J. Simpson que hiciera de esclavo...

VICTORIA: ¿Cómo? ¿No estaba en la cárcel?

RUFUS: Ya no. Es inocente.

POCATONTAS: Es un asesino y sería pésima publicidad.

JED: *You're right*, aunque necesitamos una *superstar* para que interprete el papel del capitán del barco. Alguien carismático, elegante, guapo... ¡Ya lo tengo! ¡Ya lo tengo!

RUFUS: ¿Qué tienes?

JED: El capitán seré yo. (*Rufus refunfuña.*) Mi ropa, necesito mi ropa de conquistador. Tú, Rufus, vas a ser mi esclavo. ¡Todos listos! *Places! Places!* ¿Dónde nos quedamos?

Los demás actores se dispersan, dejando que Jed, el director, y Rufus, el camarógrafo, arreglen la siguiente escena.

RUFUS: En un barco. En la bahía.
JED: *Oh, I love it.* Es tan Brechtiano... ¿Qué estoy haciendo?
RUFUS: "Canta una canción popular de la época."
JED: (*Transformándose en Jeddediah Smith.*)
Oh, Susana,
oh don't you cry for me
'cause I'm going to California
with my banjo on my knee!
RUFUS: (*El Camarógrafo, ahora como esclavo.*) ¡Tierra, *mihter* Jed, tierra!
JED: *There it is,* Rufus, California! *Isn't it beautiful?* Los españoles se la pensaron que era una isla de amazonas.
RUFUS: ¿Qué son amazonas?
JED: Unas marimachas feministas que usaban platones dorados de brasier y violaban a todos los hombres que se cruzaban por su camino, y luego los mataban. Su reina se la llamaba Calafia. Por eso llamaron a la isla California. Decían que era negra, como tú.
RUFUS: ¡Santo Dios! ¿Y qué hacía una negra por aquí?
JED: Era sólo un mito, Rufus. *Pure fantasy.* La *fucking* realidad es que aquí se las hay puros *mexicans* hablando *Spanish,* así que tienes que tomar tu primera lección: "Tela fina aquí."
RUFUS: Telafinaquí... ¿Qué dije?
JED: *Fine cloth here.* Repite después de mí: "mercancías, muebles, mercado de libre comercio".
RUFUS: ¡Mercancíííaaas! ¡Muebleees! ¡Mercaaado de liiiiibre comerciooooo!
JED: *Very good. That's important, Rufus,* es la clave de nuestro éxito en la conquista de estos territorios: TLC.
RUFUS: ¿Y qué es TLC, *mihter?*
JED: TLC es como la industria cinematográfica: cuando a los yanquis se nos Paramount y se la Metro Goldwyn Mayer a los mexicanos por el Columbia Pictures. (*Se quita un zapato.*) ¿Te lo sabes qué es esto?
RUFUS: Pa'mi que es un zapato.
JED: Es la dinero, *my son, California banknotes.* Los mexicanos nos venden el materia prima barata. Nosotros

RANCHO
HOLLYWOOD

pagamos para que se la hagan zapatos maquilados y lo vendemos en *dollars as an American* zapato.

RUFUS: ¿Y por qué no hacen ellos sus propios zapatos?

JED: ¡Shhhh! ¡No digas eso! Son *stupid*. Dependen casi por completo de nuestras industrias yanquis.

RUFUS: ¡Me cago en na'a! ¡Somos dueños del mercado libre!

JED: *Not so fast!* Para venderle a estas gentes tienes que entenderlos. Lo que nosotros, la gente inteligente, llamamos un "*marketing plan*"...

RUFUS: ¿Pero no es suficiente aprender su dialecto?

JED: *Not at all, my son*. Por eso te lo voy a leer un libro, para que nos las oriente. (*Se limpia la garganta y lee.*) "Los mexicanos en California son generalmente indolentes..."

RUFUS: ¿Insolentes? (*Leyendo por encima del hombro de Jed.*)

JED: Indolentes, con D. O sea, huevones. (*Retomando la lectura.*) "Los hombres son ávidos de licores y poco interesados en el bienestar de sus hijos. Las mujeres carecen de pudor, sus hombres son exageradamente celosos, y su venganza es mortal y segura."

RUFUS: ¡Hmmm! ¡Pues no hay que meterse con sus mujeres, *mihter* Jed!

JED: Lo ves, Rufus, lo hay muy poca gente civilizada en esta tierra. Los Californios son una mezcolanza de pinche gachupín y azteca salvaje.

RUFUS: ¡¿Azteca salvaje?!

JED: *That's it*. Los pinches salvajes de los aztecas practicaban el sacrificios humanos y arrancaban los corazones a sus víctimas. Luego hacían tacos con los corazones y se los vendían en las esquinas de las calles. Por eso hay que tenérselas cuidado con lo que se come por aquí; te lo puede atacar la venganza de Moctezuma.

RUFUS: Seguro que eso lo escribió un yanqui.

JED: Por eso debes tenerlos bien checados. Y si tú me lo ayudas, y generamos suficientes ganancias... te doy tu libertad.

RUFUS: (*Sacando un contrato.*) Póngamelo por escrito.

JED: ¡Hey! Se supone que tú no sabes leer... o escribir... ¡Negro cabrón!

RUFUS: ¡Firme!

Freeze. Se oyen voces tras bambalinas. Luz a Pocatontas preparándose para la siguiente escena.

JED: ¡Corte, cooorte! (*Fuera de set.*) *Brilliant, brilliant.* Le va a encantar al mercado latino.
JOAQUÍN: Si, tú, cómo no...
JED: ¿Qué dijiste?
JOAQUÍN: Que cómo no, patrón. Aquí a los cal-mex les va a encantar esa versión de su identidá, ¿qué no?
JED: OK, ¿cuál es la siguiente escena? ¿Dónde estamos?
RUFUS: De regreso en el rancho. "Los alegres californios se preparan para celebrar la llegada del barco yanqui."

Voz tras bambalinas.

POCATONTAS: (*Entrando.*) Californios no preparar nada. Nosotros los sirvientes hacer todo.
JED: *Very good.* Haz como si estuvieras preparando tortillas o algo así. *I've got it!* Habla sola, quéjate.
POCATONTAS: (*Improvisando.*) Pinche gente. Puras parrandas.
JED: *That's it. Places* todos. ¿Está lista la cámara?
RUFUS: Listo, *mihter* Jed.
JED: ¡Acción!
POCATONTAS: Pinche gente. Puras parrandas. Ellos tener que armar fiesta todas las noches. A duras penas detenerse cuando tiembla, y luego continuar bailando en cuanto termina.

Pocatontas se detiene a escuchar unas voces. Mira a Joaquín y a Ramona entrar al jardín.

RAMONA: ¡Joaquín, mi vida! ¡Estoy tan contenta que hayas venido por mí!
JOAQUÍN: Ramona, no sé cómo decírtelo... Tu padre me envió a la base militar de Sonoma.
RAMONA: ¡No! ¡Eso no puede ser! Me iré contigo. ¡Partiremos juntos esta misma noche!
JOAQUÍN: De ninguna manera. Ese territorio es muy peligroso.

Hay rusos al norte, yanquis al este, piratas ingleses al oeste.

RAMONA: Entonces, vámonos del país. A España, o a México. Con tal de que podamos estar juntos.

JOAQUÍN: Nunca me iré de California. Aquí está mi casa, y ésta es mi tierra.

RAMONA: Pero Joaquín... yo pensé que nos íbamos a fugar esta noche. ¡Hasta hice mis maletas!

JOAQUÍN: Ramona, mi cielo, debemos respetar los deseos de tu padre. Trabajaré muy duro, ascenderé de rango en el ejército y expulsaré a los invasores de nuestra tierra. Entonces, él me respetará.

RAMONA: Nunca te va a respetar, Joaquín. ¿No ves que mi papá no te quiere porque eres prieto como indio patarrajada?

JOAQUÍN: Pero Ramona, ¿cómo puedes decir algo así sobre tu padre? ¡Es ridículo! El puede ser un dinosaurio en la política, pero no es racista...

RAMONA: ¿Ves cómo no entiendes nada? ¡Escúchame! Tenemos que dejarlo y empezar nuestras propias vidas.

Pocatontas comienza a caminar hacia ellos.

JOAQUÍN: ¡Shhhh, alguien se acerca! ¡Tengo que irme! ¡Prométeme que me esperarás!

RAMONA: Sí, claro... pero no ves que... mi padre nunca tendrá nada que ver contigo porque no eres español...

JOAQUÍN: Ni una palabra más. Ya veremos cómo vivir juntos en paz y armonía. Al fin que todos somos una sola raza, ¿qué no?

RAMONA: Ay, Joaquín...

JOAQUÍN: ¡Ay, Ramona! (*Comienza su mutis, pero se arrepiente y regresa.*) ¡No voy a poder vivir sin ti!

Da la vuelta para irse y se estrella con Pocatontas.

POCATONTAS: Si don Rico te ver, te hacer chorizo.

JOAQUÍN: Ya me iba, ya me iba... (*Se escuchan pasos acercándose mientras Joaquín sale.*) ¿Qué? ¿Llegaron los invitados?

POCATONTAS: Por los pasos sé decir que es el mismo don Rico. Clarito se oye cómo estar él cargando su pistola.

JOAQUÍN: ¡Órale, carnal!

RAMONA: ¡Rápido! ¡Escóndete! ¡Vienen mis padres! (*Joaquín se mueve desesperadamente.*) Atrás del ése... bajo la desa... donde sea! (*Joaquín se transforma en estatua, lámpara, fuente, etc.*) ¡Pocatontas, ayúdanos, por favor!

POCATONTAS: ¿Por qué? Ustedes vivir soñando. Su vida estar llena de intrigas y mentiras. Y luego, ¿quién tener que tragarse toda esa mierda?

RAMONA: ¡Pocatontas, por favor!

Ramona mira cómo Joaquín intenta hacerse pasar por estatua. Lo agarra y sale por el otro lado. Entran Rico y Victoria.

RICO: ¿Con quién hablabas?

POCATONTAS: Con nadie. Ya conocerme. Estar yo un poco loquita y a veces hablar sola.

VICTORIA: (*Sin dejarse engañar.*) Tonta, prepara por favor un cuarto para el capitán del barco. Es probable que se quede aquí esta noche.

RICO: Y que venga mi hija. Quiero que baile para nuestros invitados.

POCATONTAS: Sí, señor.

Sale. Ramona entra con Joaquín vestido de mujer.

RICO: (*Al ver a Joaquín.*) Ah, veo que han llegado nuestros huéspedes. (*Luces sobre el público.*) ¡Bienvenidos! ¡Bienvenidos al Rancho Madera Acebo! Mi hija les dedicará un hermoso baile.

Empieza a sonar la música.

RAMONA: Pero papá...

RICO: ¡Ah! Ramona, ahí estás. Me alegra verte más animada. Nuestros huéspedes te esperan, hija.

Gritos y aplausos.

RAMONA: Pero papá, yo...

VICTORIA: Ramoncita...

RICO: ¡Por favor, hija! ¡Adelante!

Ramona baila con Pocatontas y con Joaquín usando al público como invitados. Música grabada. Luz de fiesta.

La cucaracha, la cucaracha,
ya no puede caminar
porque no tiene, porque le falta,
mariguana que fumar.
La cucaracha, la cucaracha,
ya no puede caminar
porque no tiene, porque le falta,
mariguana que fumar.

Al final del baile, entran Jed y Rufus interrumpiendo la fiesta. Todos miran a Jed.

JED: *Bravo, bravo! Beautiful dance, ma'am.*
RICO: ¡Güelcom al Rancho Madera Acebo!
RAMONA: Güelcom.
VICTORIA: Güelcom
POCATONTAS: Güelcom
RICO: Soy el gobernador don Río Rico, para servirle.
RAMONA: ¡*My father*, don Río Rico, *Governor* de California, les da la bienvenida! *Welcome!*
RICO: Mi casa es su casa.
JED: *Hey, thank you.* Creo que me va a gustar su casa *very much.*
RUFUS: (*Mientras Jed checa a Ramona.*) *Mahter* Jed, tenga cuidado con esos *hot* tamales. ¿Ha visto al *Governor?* Parece gorila...
JED: (*Moviéndose hacia Rufus.*) Damos y caballeras, les he traído unos presentos. (*Le da a Rico un six-pack de cervezas.*) *Budweiser for you!* La mejor cerveza del *Westo.*
RICO: Muchas gracias.
JED: ¡Olé! Más presentos *here.*·Coca-cola para la joven *lady*. ¡Y para la señora un *credit cardo!*
VICTORIA: (*La muerde.*) Y esto, ¿para qué es?

RAMONA: ¿Señor, para qué sirve? *What is this for?* Entienda que mis padres no hablan su idioma.

JED: *They will learn soon, baby... Tell-o* a tu padre que nosotros hablar de negocios *later on*, más tarde. Que ellos continúen adelante con su *party* como si yo no estarme aquí...

RICO: Perdón, señor, pero ¿cuál es su misión aquí en California?

RAMONA: Mi padre quiere saber *what is your mission* aquí en California.

JED: Vender algunos *stocks* del mercado, comprar algunas negocios...

RICO: Oye, m'hija, ¿por qué no le ha pegado a su negro?

RAMONA: *My father wants to know why haven't you beaten your slave.*

VICTORIA: Hemos escuchado que los yanquis disfrutan mucho maltratando a sus esclavos.

JED: *What, me?* ¿Pegarle a mi negro? Pero él como mi *sono*. ¿No es así, *boy?*

RICO: Nada más quiero decirle que la esclavitud ha sido abolida aquí en California.

VICTORIA: Sólo se permite la mano de obra barata.

JED: ¿Qué *what?*

VICTORIA: Que no puede usted tener *slaves here in California*. Comprende Mr. Señor Yanqui?

JED: Perdónemela, Mrs. Señora Mexican, pero yo cansado y hambriento del viaje. Me la dificulta mucho comprenderla en estas *conditions*.

RICO: ¿Quieren comer algo?

Hace gesto de comer con la mano. Intenta que se le entienda.

RAMONA: *Would you like something to eat?*

VICTORIA: ¿Hamburguesas? ¿*Hot dogs?*

JED: *No, thank you.* Un burrito o un *cold margarita would be better*. ¿No haber Taco Bells por aquí?

POCATONTAS: ¿Tacos de campana? No, pues no. Pero haber de buche, de maciza, de moronga, de buche...

VICTORIA: Pocatontas, prepárale algo de comer al señor. (*Con-*

duciéndola afuera.) Mi Pocatontas le va a traer algo de comer *in a moment...*

RICO: ¿Y cuánto tiempo piensa quedarse por aquí, míster?

RAMONA: *My father would like to know for how long do you plan to stay here in California.*

JED: (*Mirando su reloj.*) ¿En qué año estamos? ¿1842? De menos, un par de siglos.

RICO: Bueno, ya tendrá tiempo de aprender el español.

JED: Para entonces, *sir*, tú estarás *ready to speako* el *English*.

RICO: Si *you* quedarse aquí pour muchou tiempo... you deber ser ciudadano México...

VICTORIA: ¿Comprende? *Very* importante.

JED: *OK, OK.* Déheme teiko uno siesto para pensarlo. *After all*, ¿no ser este la país del maniana?

RICO: Le voy a enseñar su cu-artou en lo que preparan la cena. Tonta, el granero para el negro. (*Salen Pocatontas y Rufus.*) Mi Pocatontas va a llevarse a su esclavo al corral.

Salen Rico y Jed discutiendo fervientemente.

RAMONA: Buenas noches, mamacita.

VICTORIA: ¡Qué mamacita ni qué mi abuela! ¡Ya sé que Joaquín estuvo aquí! Sácatelo de la cabeza, Ramona. Él se fue para siempre. (*Ramona sale. Entra Rico.*) ¿Qué sucede, querido, te veo preocupado?

RICO: Es que él me acaba de decir que es de Texas.

VICTORIA: ¡Texas!

RICO: Sí. Las mismas Tejas que se robaron en 1836. Las mismas Tejas que ahora son un estado esclavista. Dios mío, el tiempo corre tan rápidamente. Y pensar que apenas ayer conquistamos California.

VICTORIA: Sí, y anteayer México. Y mañana..

JED: (*Interrumpiéndola.*) Corte. Así está perfecto. Sobre todo el *American hero.* Tan carismático, tan elegante...

RUFUS: Tan bueno que ya podemos rodar la siguiente escena.

JED: ¿Cuál es?

RUFUS: La india y yo, en el establo.

Salen. Se ve cómo del otro lado del escenario Pocatontas conduce a Rufus a la entrada del establo.

POCATONTAS: Éste ser establo. Éste ser lugar donde usted dormir, Señor nígaro.

RUFUS: Yo no me llamo Nígaro. Yo me llamo Rufus.

POCATONTAS: ¿Pero no llamarle así a usted el hombre blanco, Nígaro?

RUFUS: Sí, pero tú a mí no me digas así. Mi nombre es Rufus. Rufus Smith.

POCATONTAS: ¿Smit? ¿No ser ése el nombre del hombre blanco?

RUFUS: Los esclavos no podemos escoger. Tu apellido es el apellido de tu amo. Y a mi me han comprado y vendido tres veces. Antes mi apellido era Jefferson, pero cuando nací me llamaba Washington. Hasta puede que esté emparentado con el padre de los Estados Unidos.

POCATONTAS: Sí, seguro él también ser Nígaro como tú.

RUFUS: Oye, oí que te llamaban Pocatontas. ¿Ése nombre es indio?

POCATONTAS: No, ser nombre español.

RUFUS: ¡Pero tú eres india piel roja!

POCATONTAS: Yo ser kemiya. Gente que cazar en los barrancos por la mañana.

RUFUS: ¿Y por qué no estás tú cazando en los barrancos por la mañana?

POCATONTAS: Venir Santo Padre y convertir todos a cristianos. ¿Ser tú católico, o creer tú todavía en el vudú?

RUFUS: No, negra, yo soy protestante.

POCATONTAS: ¡Protestante! ¡Uy, que miedo! Con su permiso, buenas noches.

Se voltea para irse y se persigna.

RUFUS: Espérate un minuto, chica. Quédate para que hablemos. Tenemos mucho en común.

POCATONTAS: Ah, no. Tú ser protestante. Y además, tú ser esclavo, y yo ser mujer libre.

RUFUS: Óyeme, óyeme. No te me pongas tan comemierda. Me imagino que tú te la pasas cocinando para estos californios porque los quieres mucho... Tú eres tan esclava como yo.

POCATONTAS: ¡No! Esclavitud no ser más. Don Rico "la abolir".

RUFUS: Hay distintas formas de esclavitud. Y que hayan hecho de un negro como don Rico gobernador, no quiere decir nada.

POCATONTAS: Don Rico no ser un nígaro. Ser español.

RUFUS: Chica, tú me estás vacilando. Tu don Rico es más negro que mi negro culo, y tú me estás diciendo que es español. ¡Ay, Dios mío, no me hagas reír! ¡Además, no importa si es negro, igual te trata como a un perro!

POCATONTAS: Muy bien, señor Rufus, como usted querer. Tal vez usted se quedar en California y se hacer gobernador usted mismo un día. Pero mientras eso suceder, señor alcalde, aquí dormir usted... ¡con las mulas!

Sale Pocatontas. Rufus se paraliza esperando a que Jed corte; Jed está muy pensativo.

JED: No sé si estoy convencido que Pocatontas le diga tantas cosas tan inteligentes a Rufus, me parece poco creíble en una sirvienta de su época...

RUFUS: (*En freeze.*) ¿Vas a cortar o no?

JED: (*Reacciona.*) Sí claro, claro. ¡Cooorte! *What's next?*

RUFUS: "Ramona en el balcón." Tú llegas.

JED: *Action!*

En otro lugar del escenario. Ramona está parada en su balcón, soñando con Joaquín. Jed se le acerca.

JED: Bu-enas nochies, seniorita.

RAMONA: ¡Ay, Dios! Mr. Smith...

Se vuelve para salir.

JED: Pour favor. No metérsela todavía. Quisiera orientármela geográficamente. Podría decirme como se las llaman a esas montanias ahí en el norte.

RAMONA: Las montañas de San Bernardino.

JED: *Saint Bernard.* Haber demasiado *smog* hoy.

RAMONA: ¿Esmog? ¿Qué es esmog?

JED: Esmog es lo que tú te la respiras cuando General Motors y las compañías petroleras comprar el tranvía eléctrico y se la empiezan a hacer los *freeways*..

RAMONA: ¡Oh! (*Disimulando su poco mundo.*) Todavía no tenemos ningún, eh, sistema eléctrico. Pero sí tenemos la belleza natural de nuestro terreno.

JED: Sí, claro. Me muero de ganas de ir a Disneyland. ¿Hey, qué tan lejos ser las *pyramids* de aquí?

RAMONA: Ay, señor, está confundido. No hay *pyramids* aquí en La Ciudad de La Reina de Los Ángeles del Río Porciúncula.

JED: ¿No parecerle este nombre un pocou largou? Usted poder llamarla solamente Los Ángeles, or El Ei)?

RAMONA: El Lay. Ciudad de los Ángeles, suena rebonito.

JED: *The City of Angels!* ¡Los Ángeles, Lost Angels! *My God!* Ahora me lo entiendo yo todo.

RAMONA: ¿Qué entiende?

JED: Es la ciudad de *Lost Angels*, perdida en la oscuridad; humaredas de veneno, el rescoldou, las fauces del infierno.

RAMONA: ¿El infierno?

JED: *My God!* No escuchas ese horrible zumbido: *against* otros como si fueran semidioses!

RAMONA: ¿Mr. Smith, se siente bien?

JED: ¡Mi cabeza! ¡Mi cabeza! ¡Se la está quemando!

RAMONA: ¿Qué debo hacer? ¿Qué debo hacer?

JED: ¡Agua! ¡Agua! (*Ramona vacía el agua de un florero en la cabeza de Jed.*) *Thank you*. Me hacía falta.

RAMONA: ¿Está bien?

JED: Sí, sí. Ser sólo un ataque de apocalíptica profecía.

RAMONA: No hay duda que posee usted una imaginación refértil.

JED: *I'll be all right.*

RAMONA: Oiga, Mr. Smith, ¿qué futuro... ve para usted aquí en nuestra hermosa ciudad?

JED: Yo gustaría ver las posibilidades comerciales. No escenas de *destruction*.

RAMONA: Nosotros necesitamos más capital, míster.

JED: No se la preocupe, *baby*. Podemos conseguirlas un

préstamo del Banco Mundial. Todo lo que querer yo a cambio es un pequeño pedazo de tierra. Baja California, *for example.*

RAMONA: Pero ahí tiembla mucho, míster, y no tiene tierras de cultivo.

JED: No importa. Lo desarrollaré modestamente. Unos pocos *resorts*, Seven-Elevens, Dunkin Donuts... ¿Qué se la piensa el *governor* de nosotros los yanquis?

RAMONA: A mi papá lo que más le gustan son los yanquis mexicanizados.

JED: Voy a beber tequila, escuchar maraichis.

RAMONA: Se necesita más que eso para volverse californio.

JED: Dime, ¿qué se la piensa tu padre de unir California con los Estados Unidos?

RAMONA: ¡Ni lo mande Dios! ¡Que no lo oiga diciendo esas cosas! Es más mexicano que el chile. Aunque yo sé que algún día California será liberada y podrá decidir su propio destino.

JED: Ustedes necesitan alguien para apoyártela.

RAMONA: Gracias, pero podemos encargarnos de nuestros propios asuntos.

JED: No, no pueden. Mira a los rusos, ya estar ellos en Alaska. Antes de que te lo sabes ya están ellos en El Salvador. Necesitan de *Uncle Sam* junto a ustedes.

RAMONA: ¿Y qué tiene el Tío Sam para ofrecernos?

JED: *Security and prosperity. Wall-Marts and Mickey Mouse.*

RAMONA: Mire, nosotros no necesitamos esas cosas. Tenemos nuestra tierra y nuestra hacienda, nuestras iglesias y nuestros fandangos. Todo esto, aquí, en el Rancho Madera Acebo.

JED: ¿Rancho Mad Era Azebou?

RAMONA: Ranch of the *Wood Holly.*

JED: *Wood Holly? Woody Holly... Holly Woody. Hollywood... Hollywood!* ¡Ahora me la entiendo todo!

RAMONA: ¿Quiere qué vaya por más agua? ¡Sus ojos, parecen estrellas fugaces!

JED: ¡Estreias! ¡Estreias de cine! Voy hacer películas.

RAMONA: Un momento, por favor, más despacio.

JED: (*Trepándose por el balcón.*) Déjamelo que te la expli-

que. (*Sacando una fotografía.*) Algún día vamos poner miles de estas fotos juntas para proyectarlas en una pantalla, y así podremos controlar la mente de miles de personas.

RAMONA: ¿Y qué va a hacer con ese invento?

JED: Dinero. Yo voy a hacer películas pornográficas. Noventa y nueve por ciento del porno del mundo saldrá de El Lay. Y haremos cine en *Latin America. After all,* la producción allí es muy barata... (*De rodillas.*) ¡Ramona, cásatela conmigo! *Don't you see?* ¡Está escrito en las estreias!

RAMONA: Míster, por favor. Aquí no se hacen esas cosas. Levántese.

JED: Cásatela conmigo, *please.*

RAMONA: No puedo, capitán. Yo ya estoy comprometida.

JED: ¿Cómo? ¿Con quién?

RAMONA: Se llama Joaquín. Y lo va a matar.

JED: ¿Joaquín como Joaquín Valley?

RAMONA: ¡Bájese de mi balcón! ¡Joaquín, Joaquincito!

JED: Ey, no te la enojes. Mejor me la das un besito de las buenas noches.

RAMONA: ¡Joaquín, ayuda, Joaquín!

JED: En mi país ser perfectamente aceptable besar a la chica en la primera cita. Algunas parejas hasta se la van más lejos.

RAMONA: ¡Joaquín!

JED: ¿Has oído hablar de la liberación femenina?

RAMONA: Pues fíjese que sí.

Le pega a Jed en la cabeza y éste se cae del balcón. En ese momento entra Joaquín, lo atrapa y se caen los dos.

JOAQUÍN: Creí que me llamabas, corazón de mi alma.

JED: Esta mujer me tiró del balcón. La voy a acusar por intento de asesinato.

RAMONA: Mi amor, ese hombre trató de violarme, y se quiere apoderar de todas nuestras tierras.

JOAQUÍN: Ha de saber, caballero, que a las damas mexicanas no se les toca ni con el pétalo de una rosa.

JED: Estos *hot tamales*. Nada más se las das un beso, y te la piden al altar.
RAMONA: Eso es una calumnia... una mentira...
JOAQUÍN: Sr. Esmit, tendrá usted que ser juzgado por nuestro gobernador por faltas a la moral, invasión de territorios y disturbios en la vía pública.
JED: A mí no me juzga nadie... Corte, corte..

Joaquín deja a Jed caer al piso y éste se golpea la cabeza.

JED: Ya verás, pinche Joaquín, me diste en toda la *mother*.
JOAQUÍN: Pero el libreto dice que lo dejo caer al llamado de las trompetas, que vienen ahorita.
RUFUS: Hasta que "suenan las trompetas de la guardia del gobernador."
JED: *Sorry, Jack*, pero un *Mexican wetback* no puede dejar caer a su *American boss* así como así...
RAMONA: Joaquín no es ningún *Mexican wetback*. Nació aquí, en California, y tú lo sabes muy bien.
JED: Eso está por verse. Rufus, que se aliste Rico. Y prepárate el *take* siguiente.
RUFUS: Rico, a escena. Rancho Hollywood, escena... escena... ¿En qué escena vamos, míster?
JED: No importa. Tú filma... (*Escribiendo en otro escritorio.*) "*Dear congressman* de los Estados Unidos de Norteamérica: la conquista de California no costará absolutamente ningún trabajo, ya que sus gentes parecen ser incapaces de defenderla."

Jed saca una pistola y la azota en el escritorio.

RICO: La inseguridad en la que nos encontramos en este territorio por el excesivo acceso de aventureros armados provenientes de los Estados Unidos del Norte no deja ninguna duda que debemos declarar la guerra en su contra.

Saca su propia pistola y la carga.

JED: (*Al público.*) Por eso es que digo, demos el golpe ahora para liberar a nuestra tierra bendita de la tiranía mexicana.

RICO: (*También al público.*) El tesoro del Estado se encuentra agotado. No tenemos más guarniciones y los voluntarios están exhaustos. Por favor manden dinero, hombres y armamento cuanto antes. Dios y Libertad. Río Rico, Los Ángeles, California, 25 de mayo de 1846.

JED: Tomaremos la capital, Monterey, y luego, por barco, aseguraremos la Bahía de San Diego.

RICO: (*A Jed.*) ¿Con qué derecho haces todo esto?

JED: Con el que me las da el Destino Manifiesto.

RICO: ¡Es un robo!

JED: Ustedes lo robaron a los indios.

RICO: ¡No obtendrás nada! Quieres esclavizar California como lo hiciste con Texas, esa es tu meta...

JED: ¡Oh, no! ¡California será un estado libre! ¡Rufus! ¡Rufus!

Rico y Jed están cara a cara.

RUFUS: (*Seguido de Pocatontas.*) ¡Aquí estoy!

JED: Cúbreme la espalda, *my friend*. Te quedas conmigo y te libero, *you hear me?*

RUFUS: Lo oigo.

Entran Ramona y Victoria.

VICTORIA: Rico, nosotros te apoyamos.

JED: *Very well*... ¿Comenzamos?

RICO: Después de usted.

Los dos combatientes se paran dándose la espalda, pistola en mano. Esta escena es como un sueño, representado en un lento minueto.

JED: (*Mientras se alejan uno del otro.*) Es obvio, *my dear friend*, que usted es incapaz de gobernar este territorio.

RICO: ¿Qué saben ustedes de civilización? Nosotros fundamos universidades en la ciudad de México antes de que los ingleses desembarcaran del *Mayflower*.

JED: Así es, *my dear friend*, pero fuimos nosotros los que redactamos la Constitución. Ustedes solamente la copiaron... Una imitación bastante barata, por cierto.

RICO: Nos engañaron en Texas. Nos clavaron un cuchillo por la espalda.

JED: No es mi culpa que sean tan dejados. ¡*Remember* El Álamo!

RICO: ¡Racista!

JED: ¡Naco!

RICO: ¡Pinche gringo!

JED: ¡*Fucking greaser*, estás perdido! El general Kearney acaba de ganar todo *New Mexico* sin una sola batalla, y está en camino a San Diego.

RICO: ¡No es cierto! Las tropas de mi hermano detuvieron a Kearney en San Pascual. La pólvora de Kearney estaba mojada y veinte de sus hombres fueron eliminados como vacas en el matadero.

JED: ¡No puede ser! Todo el mundo sabe que los *greasers* tienen miedo de pelear!

RICO: (*Disparándole.*) ¿Dime ahora qué piensas de la cobardía mexicana, kimosabi? ¡Mejor regrésate por donde viniste!

JED: No tan rápido. Tal vez ganaste la batalla... pero mira, mira a tu alrededor.

RICO: No veo nada.

Se escucha la Obertura de Guillermo Tell.

JED: ¡Escucha! ¡Escucha! (*Confusión entre los mexicanos al oírse el sonido de aviones rugiendo por el aire.*) Allá arriba, en el cielo. ¿Es un pájaro?

TODOS: No.

JED: ¿Es un avión?

TODOS: No

JED: ¡Es la Fuerza Aérea de los Estados Unidos!

RICO: ¿Fuerza Aérea?

Las mujeres gritan y se refugian en Rico.

JED: Ay, son tan primitivos... Si nada más supieran la gloria que nos espera. (*Caen bombas. Todos huyen a cubrirse menos Jed.*) ¡Ríndanse! ¡Ríndanse antes de que los aniquilemos totalmente! Después de todo, son puros prietos...No te preocupes, tú eres negro. ¡Si se atraviesan en nuestro camino al progreso, les enviaremos la bomba atómica, *Swear to God!*

Aparte.

RICO: (*Abatido y confundido, le da su pistola a Jed.*) Mi pistola...

JED: *Finally!* ¡Es mía, toda mía! ¡California! (*Mientras Victoria consuela a Rico, Jed toma a Ramona.*) ¡California!

RAMONA: ¡No, no, no! ¡Déjeme ir! ¡Déjeme ir!

RICO: ¡No se llevará a mi hija!

JED: Ya me la llevé. (*Dándole un documento.*) Firme, *my friend,* firme la rendición del Paso de Cahuenga, enero de 1847. (*Después, carga a Ramona para llevársela, mientras ésta grita y patalea.*) ¡Ahí te voy, mi California!

Sale Jed cantando.

RAMONA: ¡Corte! ¡Corte! ¡Corteeee!...

Segundo acto

JED: ¡Luces, cámara, *action!*
RICO: ¡Dios mío, qué desgracia!
JOAQUÍN: Don Rico, doña Victoria, los gringos...
RICO: Ya sabemos. Perdimos la guerra.
JOAQUÍN: ¿Y Ramona?
VICTORIA: ¡Se la llevó el gringo!
RICO: ¡Perdí a mi hija... perdí a mi estado... ya no me queda nada en la vida!
JOAQUÍN: Ya ve, por fiarse de los gabachos. Los gringos han conquistado a los conquistadores.
RICO: Pero cuando los españoles llegaron a México trajeron a la Virgen de Guadalupe, y cuando los gringos llegaron a California pusieron el dólar en su lugar.
JOAQUÍN: Es lo mismo, puros mitos. La virgen de Guadalupe, el dólar, los derechos de Aztlán...
RICO: ¿De qué estás hablando? ¡Te estás volviendo loco!
JOAQUÍN: Loco como una cabra. ¡No, mejor dicho como un zorro! De ahora en adelante, no voy a ser el borrego de naiden ¿me oyeron? Y recuerden, ¡que viva Aztlán!

Sale.

RICO: ¡Qué extraño muchacho! Debí dejar que se casara con Ramona... ¡Ay, Victoria! Ahora sí que nos hemos metido en problemas. Y yo que pensé que nos retiraríamos con mucho estilo y mucha pompa a disfrutar de nuestra vejez.

VICTORIA: No te des por vencido. Todavía podemos trabajar; estamos sanos y fuertes... ¡Mira ese río, en la montaña! ¡Podemos buscar oro!

RICO: Ahí no hay oro. Es otra vez el mito de Calafia, la reina de las Amazonas... Sólo nos falta enterarnos de que fue la mujer de Cortés.

VICTORIA: Pues yo veo algo que brilla. (*Se acercan al río. Victoria recoge una pepita.)* ¡Mira, encontré una pepita!

RICO: Seguro es oro de tontos.

VICTORIA: No. Muérdela, es de verdad.

RICO: (*Mordiendo la pepita.*) ¡Tienes razón! ¡Es oro! Tenemos que apurarnos... La fiebre del oro puede empezar en cualquier momento. (*Comienzan a lavar oro.*)

JED: (*Entra con Ramona, ambos vestidos de mineros. Ramona viste una peluca rubia.*) En el 49 llegaron los mineros...

RAMONA: En el 51 llegaron las mujeres...

JED: Y cuando ellos se juntaron...

RAMONA: (*Señalando a Jed.*): ¡Al nativo del lugar crearon!

VICTORIA: Me gustaban más los hijos de Cortés y Malintzin.

JED: (*Sacando una pistola.*) ¡Estar bien! ¡Estar bien! El minero que es cuatrero y su linda Clementina corrieron a los grisers que reclamaban el oro del terreno.

RICO: (*Sin reconocerlos.*) Le ruego me disculpe, señor, pero nosotros llegamos primero.

JED: No me importa, son extranjeros. Aquí sólo se permite que excaven los nativos del lugar.

RICO: Le ruego me disculpe, señor, pero mi familia ha estado en este lugar por más de tres generaciones...

JED: Clementina, ¿qué te parece este míster?

RAMONA: Me parece conocido...

JED: Pues pa'mí, se ve como un pinche gríser. (*Apuntándole con la pistola.*) Si quieren excavar aquí tienen que pagar el impuesto para mineros extranjeros.

RICO: Pero ya le dije que soy de California. Mire, mi *green card...*

Rico busca su green card. *Jed le apunta con la pistola.*

JED: *For me*, todavía te ves como un *fucking greaser* de Sonora o Chile.
RICO: No quiero problemas, señor. Le voy a pagar el impuesto.
JED: Son trescientos dólares al mes.
VICTORIA: ¡Trescientos dólares! ¡Pero así no vamos a ganar nada!
JED: Es sólo un adelanto por lo que tendré que gastar en su *social security*, cholos.
RICO: ¡Ésta es mi tierra!
JED: ¡Era, amigou!
RICO: ¡Pues no nos iremos sin antes luchar!
JED: (*Disparándole.*) ¡Como quieras, amigou!
RAMONA: (*Mientras Rico le dispara de regreso.*) ¡Ayuda! ¡Ayuda! ¡Una insurrección!
JED: ¡Hey, no los justifiques! Tu línea es: "¡Ayuda, los bandidos nos están robando!"
RAMONA: Ah, sí... "¡Maten al Frito Bandito!".
RICO: Yo no soy ningún bandido. Y si siguen tratándome así, van a hacer de mí un revolucionario.
JED: ¡Maten a los terroristas!
RICO: ¡Viva Zapata!
VICTORIA: ¡Viva Marcos!
RAMONA: Espérate, Jed. Yo conozco a este hombre...
RICO: ¡Tierra y libertad!
VICTORIA: ¡Democracia y justicia!
JED: ¡Los tenemos rodeados! ¡Los dejaremos morir!
RICO: ¡No tengo más balas! ¡Estamos perdidos!
VICTORIA: ¡Estamos perdidos! ¿Quién podrá defendernos?

Justo antes de que Jed dispare se escucha la marcha de Zacatecas.

RAMONA: ¿Podrá ser?

Entra Joaquín vestido de Súper Bato.

JED: ¿Qué es eso?
RICO: ¡Súper...
VICTORIA: ...Bato!

JOAQUÍN: Ya estufas, bribón...
RAMONA: ¡Si es Joaquín! Ay, *I love your* trapos *and your* greñas.
JOAQUÍN: Chale con el desmadre, ésa... ¿Cómo está eso de los impuestos?
JED: Son las leyes del TLC, *brownie.*
JOAQUÍN: Puro pedo. Te estás chingando a mis carnales bien gacho.
JED: Es el tratado que firmó tu pelón.
JOAQUÍN: (*Sacando una navaja como del barrio, estilo* West Side Story, *y se la pega a Jed en el pescuezo.*): ¡Pus a mí tu tratado me vale madres, ése!
JED: Corte...
JOAQUÍN: ¿Qué, pues, no te gusta mi tijera?
JED: No, corte la escena. ¡Rufus, corta, corta!
JOAQUÍN: ¿Ora que'onda, carnal?
JED: Esta escena no la tengo solucionada. Si llegamos hasta aquí, entonces sí que me lleva la que me trajo.
RAMONA: Nadie te trajo, *honey.* Tú llegaste solo.
JED: Que corten y comiencen con lo que sigue. Necesito pensar...Los que no tienen nada que hacer, *coffee brake!* Luces, cámara, *action!*

En otro lado del set, en las montañas, Martin —Rufus vestido de soldado— tiene a Gerónima-Pocatontas —una piel roja— atrapada en una cueva.

RUFUS: Tendrás que rendirte tarde o temprano, india patarrajada.
GERÓNIMA: Ven y atraparme si puedes, gabacho.
RUFUS: Ríndete, nada te pasará.
GERÓNIMA: ¿Me vas a disparar?
RUFUS: No. Tenemos que llevarte viva a la reservación de Oklahoma. De menos como atractivo turístico...
GERÓNIMA: ¿Para darme tú una cobija llena de viruela y tuberculosis? No gracias. Mejor quedar yo aquí entre los cactus.
RUFUS: ¿De dónde tú sacas todas esas tonterías?
GERÓNIMA: Decírmelo mi gente.
RUFUS: No lo puedo creer.... Están locos.
GERÓNIMA: Estás loco tú, y como tú matar búfalos desde los trenes, hombre blanco.

RUFUS: Yo no soy ningún hombre blanco, soy negro ¿Qué, tú no ves?

GERÓNIMA: Una vez conocer a un negro.

RUFUS: Washington... El apellido de mi padre era Washington...

GERÓNIMA: Washington... Dejarme ver tu cara. (*Mientras Martin se descubre la cara, Gerónima le dispara.*)

RUFUS: ¡Canto de india loca! ¿Qué diablos estás tú tratando de hacer?

GERÓNIMA: No gustarme tu uniforme.

RUFUS: Yo sólo estoy cumpliendo con mi trabajo. Contra ti yo no tengo nada.

GERÓNIMA: ¿Entonces por qué tratar tú de matarme, pinche negro?

RUFUS: ¡Pinche roja, cuídate de lo que dices!

GERÓNIMA: Hombre negro, ¿como llamarte tú?

RUFUS: Martin.

GERÓNIMA: Yo ser Gerónima. Dejar nosotros de pelearnos. Agarra tu nopal y abandona estas montañas.

RUFUS: No sé...

GERÓNIMA: ¿Qué? ¿Kimosabi te prometer cuarenta acres de nuestra tierra?

RUFUS: No... Sí... O sea, sí me los prometió pero no es esa la razón...

GERÓNIMA: ¿Kimosabi te liberar otra vez, como Lincoln?

RUFUS: Óyeme, tú eres muy inteligente para ser una india.

GERÓNIMA: ¿Y qué se supone que querer decir eso? Sólo por ser yo prieta y no ir a la Universidad de Harvard creer tu que soy pendeja?

RUFUS: Está bien. Te voy a dejar mi rifle para que defiendas a tu gente y me voy a ir de aquí...

GERÓNIMA: Gracias, ese rifle nos ayudar mucho.

RUFUS: Espero que podamos hablar bajo circunstancias más agradables algún día.

GERÓNIMA: (*Durante este tiempo, Gerónima se las ha arreglado para acercársele a Martin y sorprenderlo.*) ¡Quieto, soldado!

RUFUS: ¡Ay, Dios mío!

GERÓNIMA: (*Jugando con su pistola.*) Un solo movimiento y mandarte yo a tumbar caña.

RUFUS: Oye, yo te tenía acorralada y te dejé ir. Hasta un rifle te di.

GERÓNIMA: Querer yo ver qué tan negro eres. Así que darme tú todo lo que tienes... Quitarte el uniforme... Desnúdate. Soldado blanco o soldado negro, tú haber matado a mucha de mi gente.

RUFUS: (*Desvistiéndose.*) No tenía opción, no había trabajo y era lo único que yo podía hacer.

Martin le tira sus ropas a la cara y la ataca. Terminan peleándose en el piso, Martin encima de Gerónima.

POCATONTAS: ¡Rufus!

RUFUS: ¡Pocatontas! ¿Eres tú? Estuve a punto de matarte. ¿Qué haces tú aquí?

POCATONTAS: Escaparme yo para unirme a las tribus libres, Rufus. Estar ustedes matando a toda mi gente, como a los búfalos.

RUFUS: ¡Dios mío, lo siento! ¿Te lastimé? ¡Qué gusto me da encontrarte de nuevo! Gerónima... Me gusta mucho más que Pocatontas.

POCATONTAS: ¿Y ahora, qué, Martin? ¿Vas a llevarme con el hombre blanco?

RUFUS: No, voy a llevarte con el hombre negro...

La va a besar, imitando un final feliz de película, y justo antes Jed los interrumpe.

JED: *And that's it*, aquí cortamos porque yo ya sé qué quiero filmar en la escena anterior... *Places, places, action!*

RAMONA: ¡Mami, papi, qué gusto de verlos!

VICTORIA: Pero Ramona, ¿qué estás haciendo con esa peluca? ¡Pareces una...

RICO: Golfa.

VICTORIA: ...una de ésas!

RAMONA: Es mi nuevo look, mamá... Y mira, lentes de contacto azules.

VICTORIA: ¡Ay, hija! Ya te quieres blanquear como Michael Jackson.

RAMONA: *Oh, Jed, honey*. Ven a saludar a mis padres. Y a Joaquín, míralo qué mono se ve.
RICO: Ése casi nos mata.
JOAQUÍN: Ya ve, usted que quería un yerno bolillo.
RAMONA: No es tan mala gente. Ya verás ahora que lo conozcas, papá... *Jed, baby, come here!*
JED: ¡Qué gusto verlos, suegros! (*A Ramona, aparte.*) *He looks like a nigger.*
RICO: ¿Qué dijo?
JOAQUÍN: Dijo pinche negro cabrón.
RAMONA: Dijo que te va muy bien el sol que has estado tomando aquí por el río...
JED: Mis disculpas por este desafortunado incidente. De ahora en adelante, dejemos que la ley maneje nuestros asuntos. La guerra ha terminado. Sólo nos queda firmar el Tratado de Guadalupe Hidalgo...

Pasándole a Rico un documento para que lo firme.

RICO: ¿Prometes respetar los derechos de todos los mexicanos en estos territorios?
VICTORIA: Queremos las mismas garantías que tienen los demás gringos.
JOAQUÍN: Sí, las mismas garantías...
JED: *But of course!* (*Rico firma.*) Juntos formaremos un nuevo estado de *North America*. Levanten su brazo derecho. (*Todos lo hacen.*) ¿Juran cumplir la Constitución de los Estados Unidos, con la ayuda de Dios?
RICO: Sí...
VICTORIA: ...o sea, lles.
JOAQUÍN: Claro tú, cómo no...
JED: *Congratulations*. Usted es ahora un *American citizen*. (*Se dan las manos.*) *So, my friend*, ya que hemos logrado las paces, ¿me concederá el honor de casarme con su hija?
RICO: Me temo que ya te lo tomaste.
JED: Legalicémoslo. *For the future generations*.
RAMONA: ¿Ves, mamá? No es tan malo...
VICTORIA: ¡Ay, mi'ja!
RICO: (*Haciendo de cura.*) ¿Aceptan?

RAMONA: Aceptamos.
RICO: Eso es todo. Puede besar a la novia. Y ahora, si me disculpan, mi esposa y yo tenemos que encargarnos de varios asuntos.
JED: Hey, no tan rápido. Hay que firmar más documentos.

Pasándole un papel a Rico.

RICO: Pero están en inglés.
JED: Pues más te vale aprenderlo.
JOAQUÍN: Según esta ley, usted tiene que demostrarle al juez ser el verdadero dueño de estas tierras.
RICO: (*Intentando en vano retractar el documento.*) Pero eso requiere de mucho dinero y mucho tiempo en la corte.
VICTORIA: Jamás podremos defender nuestros derechos...
JED: *Too late*, maguey. Ya firmaron.
VICTORIA: ¡No es justo!
RICO: ¿Ahora qué hacemos?
JED: Escríbanle a su *congressman*.
VICTORIA: ¿Y ése quién es?
JED: *Me*.
RICO: Necesitamos alguien que entienda mexicano.
RAMONA: ¿Por qué no te postulas, papá?

Jed trata de callarla.

RICO: ¡Excelente idea! Mi gente votará por mí. ¿Qué tengo que hacer?
JED: Firmar en este registro de votante.
VICTORIA: No firmes nada sin antes leerlo. Ya ves lo que te acaba de pasar...
RICO: ¿No tiene algún formulario en español?
JED: *This is America, man*. Tienen que aprender *English*.
RICO: Ayúdame a leer esto.
RAMONA: Sí, papá. Solo firma acá. Eso. (*A Jed.*) ¿Ahora está registrado, no?
JED: Sí, si tiene propiedades.
RICO: ¡Pero usted me quitó mis tierras!
JED: *Sorry, that's show-biz!*

Tirando el viejo anuncio del rancho.

RICO: ¡Mi rancho! ¡¿Qué le has hecho a mi rancho?!
JED: (*Colocando una nueva señal.*) No se preocupe, don Rico, Rancho Hollywood queda en familia.
TODOS: ¿Rancho Hollywood?
JED: Sí. Es un buen nombre para un fraccionamiento, o para un *condominium complex*... que es lo que será eventualmente.
RICO: (*Atacando a Jed por el cuello.*) ¡Te voy a matar por esto!
JED: ¡Ah, ah, ah! Llamo a la migra. (*Entra Rufus.*) *Rufus, just on time!* Don Rico parece tener algunos problemas con nuestras leyes.

Interponiendo a Rufus entre él y Rico.

RICO: (*Mientras Victoria y Ramona lo retienen.*) ¡Me robó mi rancho y mis tierras!
RUFUS: Igual que usted se las robo a los indios.
JED: *Excelent*, Rufus, estás aprendiendo muy bien.
RUFUS: No me llamo Rufus. Soy Martin...
JED: Luther?
RUFUS: King
JED: ¡Dios mío! ¿Tan rápido nos pasa el tiempo? (*Dándole una cámara a Martin.*) ¿Te hiciste cargo del problema indio?
RUFUS: Por supuesto... ¡Me casé con ella!

Entra Pocatontas.

JED: ¡¿Qué!?
RAMONA: ¡Pocatontas!
POCATONTAS: Yo ser Gerónima.
JED: (*Llevándose a Rufus a un lado.*) ¡Te casaste con una india, justo cundo estábamos por llegar a la solución final! Te voy a partir la ...
VICTORIA: Pocatontas, tú ser bienvenida si tú querer vivir con nosotros.
POCATONTAS: ¿Para ser su chacha? No gracias. De ahora en adelan-

te usted ser la chacha. Yo irme a la reservación y hacer la revolución social desde ahí.

JED: Y es comunista. No puede... No.... ¡Te voy a poner más negro tu negro culo, negro de mierda!

RUFUS: Cuidado con lo que dice, *mihter* Jed. Soy un hombre libre y tengo tierras. Yo y esta mujer kemiya vamos a coger pa'l monte donde no nos molesten comemierdas yanquis como ustedes, y podamos criar una tribu de niños rojillos y negrillos.

JED: Nunca vas a poder arreglártelas solo, *my son*. Vas a necesitar capital, *letters of credit*. Quédate y trabaja para mí.

RUFUS: De ti yo no necesito un carajo. No has hecho más que engañarme desde que nací.

JED: *That's not true*. Yo te ayudé, fui tu guía. Rufus, necesito que me ayudes a levantar este país.

RUFUS: Que te ayude el prieto. Seguro que te cobra menos.

Rufus empieza a salir con Pocatontas.

JED: ¡Rufus! ¡Rufus, no te vayas! Con todo lo que hemos pasado juntos... Rufus... Me lleva el diablo... *I'm your father!*

RUFUS: (*Regresándose.*) ¿Qué dijiste?

JED: Dije que soy tu padre. Tu verdadero padre. Tu mamá era la cocinera de la Casa Grande. Murió cuando tú eras un *baby*. Yo te llevé conmigo en el barco.

RUFUS: ¡Tú no puedes ser mi padre! ¡Si alguna vez te veo rondándome, a mí o a mi gente, te juro que te mato! ¡Me oíste, hijo de la gran puta!

Sale.

JED: Cría cuervos y te sacarán los ojos...

RAMONA: ¿Jed, estás bien?

JED: No vale la pena llorar por derramar la leche. Ya regresará. Ya regresarán los dos. *Let's get back to business*. Estamos a finales del siglo veinte, una nueva era de paz y prosperidad.

RAMONA: ¿Lo dices en serio? ¿No más guerras ni muertes?

JED: Tal vez un poquito...

RICO: ¿De verdad estamos en el siglo veinte? Parece que apenas ayer llegamos a California.

VICTORIA: Y anteayer a México.

JED: Corte. Corte. Están repitiendo. Vamos a tener que encontrar algo nuevo de nuevo.

RAMONA: Jed tiene razón, mamá. Nosotros los mexicanos guión americanos no podemos seguir viviendo en el pasado.

RICO: ¿Mexicanos guión americanos? ¿Eso somos?

RAMONA: Sí, *Mexican-Americans*. Soy el producto de dos culturas, papá. Así que ya no me llamo Ramona, sino Ronny.

RICO: ¿Roni? ¡Ay, Ramona, estás perdida! No puedo creer que hayas caído tan bajo.

RAMONA: Bajo caerán ustedes cuando se agachen a pizcar algodón y uvas.

VICTORIA: ¡Hija, más respeto a tu padre!

RICO: Es imposible, Victoria. Todo está cambiando demasiado rápido. Nuestras tradiciones y nuestras costumbres han quedado en el olvido.

VICTORIA: Me gustaría poder volver a la antigua California, la vida era mucho más sencilla.

RICO: Había familia, orden.

VICTORIA: Fiestas, ferias...

JED: *Wait a minute!* ¡Se me acaba de ocurrir algo!

RAMONA: Jed, ¿estás teniendo otra de tus visiones?

JED: Sí, veo cómo podemos usar el pasado para descubrir nuestro futuro. Y en señal de la amistad que nos une, haremos un gran esfuerzo por recuperar nuestras tradiciones: una fiesta de la antigua España para celebrar nuestra herencia española.

RAMONA: Mamá, ¡¿no te parece una excelente idea?!

Victoria no está convencida.

VICTORIA: ¿Qué saben ustedes de su herencia española? Ya ni la mexicana conocen.

JED: Cómo no, suegra. Restauremos esas misiones y esas casas de adobe, y formamos el Club de los *Native Sons of the Golden West*. Nos disfrazamos de españoles cabalgando por el centro de Santa Barbara, le ponemos "Padres" a nuestro equipo de *baseball*, y don Rico puede ser el pitcher, como Valenzuela.

RAMONA: Te puedes poner tu traje de charro, papá.

RICO: ¡México lindo y querido si muero lejos de ti...!

VICTORIA: Los charros no son españoles.

JED: Doña Vicky puede vestir su mantilla y su peineta.

RAMONA: Y festejar nuestros orígenes de café con leche.

VICTORIA: Ramona... ayúdame a arreglarme el cabello.

Ramona la ayuda.

RICO: Yo podría enseñarle algunas suertes con mi reata. Muchas de las costumbres típicas del oeste, como los rodeos, son mexicanas. Somos los vaqueros originales, que ustedes llamaban "buckaroos".

RAMONA: ¡Ya se puso académico de nuevo!

JED: ¡Tendremos sangría, bailarinas de flamenco, Taco Bells! ¡Olé! Y vendrán camiones llenos de turistas. El valor de los bienes raíces llegará hasta el cielo. ¡Y lo haremos película!

RAMONA: *Ye Old California Days II.*

JED: No, se llamará... ¡Rancho Holywood! ¡Ronny, te voy a hacer una *movie star*!

Mientras Rico y Victoria se preparan para filmar lo que Jed acaba de fantasear.

JOAQUÍN: (*Entra vestido de Cantinflas.*) Oiga, mi jefecito, que como qui oí que me dijeron por aí que por aquí dizque andaban buscando un alguien pa'que les maneje la cámara.

JED: ¡Ahá! ¡Un *wetback*!

JOAQUÍN: No, lo que se me andaba mojando eran las nalgas.

Señalando su trasero.

JED: ¿Como te llamas, *boy*?

JOAQUÍN: *Manual. Manual Labor.*

JED: *Perfect!* Eres justo lo que necesitaba, porque el negro

me acaba de abanonar por una *brown panther*... ¿No tienes papeles, verdad?

JOAQUÍN: No señor, así fue que se me mojaron las nalgas. Me dio diarrea.

JED: ¿La venganza de Moctezuma, *boy?*

JOAQUÍN: No, la revancha del gringo.

JED: *What?*

JOAQUÍN: Demasiadas *Big Macs.*

JED: Tan simpático el gríser... Si ya estás listo, podemos empezar filmando la escena del balcón. (*Jed toma su papel de director y ahora Joaquín es el camarógrafo.*) ¡Cámara!

JOAQUÍN: ¡Cállensen, cállensen! ¡Pónganse listos, listos!

VICTORIA: Un momento... ¿No es ésta la parte que ya filmamos?

RICO: Sí. Pero aquí al director no le gusto yo en el papel del gobernador.

VICTORIA: Entonces, ¿quién va a ser mi marido?

JED: (*Quitándole el sombrero a Rico.*) ¡Yo!

RICO: Pero... tú eres gabacho.

JED: No problema. Me pinto el pelo de negro.

RICO: Tú eres blanco. Los californios éramos...

JED: Españoles. Me queda...

RICO: ¡No, no, no! Éramos de todo, negros, blancos, morenos...

RAMONA: ¡Negros!

RICO: Sí. Eso es lo que hemos estado tratando de decirles todo este tiempo. Pero él insiste en decir que somos españoles...

JOAQUÍN: (*A Jed.*) Son mexicanos, patrón. Míreles nomás el nopal que traen grabado en la frente.

JED: ¡No me importa qué son o no son! *I'm fed up!* ¡Hacen lo que yo les pida o lárguense, *now*!

RICO: ¿Hay algún otro personaje para mí?

JED: Sí, un personaje mudo recargado en el nopal.

RICO: ¡Ya no lo aguanto más! Arréglate con mi agente. Vámonos, Victoria.

RAMONA: Pero papá, ¿dónde vas a ir? ¿Qué vas a hacer?

RICO: No importa, volveré a dar clases, lo que sea...

JED: No creo, *my friend.* Al *Governor Wilson* no le gustan los *spiks* en las aulas, sólo en las jaulas.

RICO: Entonces voy a volver a ser ranchero.

JED: Dirás peón, pobretón. Esta tierra es mía.

RICO: No me importa, al menos es un trabajo honesto.

VICTORIA: Adiós, m'hija. Cuídese mucho...

RAMONA: ¡Adiós, mamá! ¡Adiós, papá! (*Abraza a sus padres y ellos salen.*) ¡Mis padres, se han ido!

JED: Déjalos que se vayan, Ronny, que se vayan y recojan sus... viñas de ira... Y pensar que podría haberles conseguido una distribuidora de Corona en Montebello... Toma esto, te lo vas a sentir mejor. (*Le ofrece un tubito de polvo blanco. A Joaquín.*) Esto no lo filmes.

RAMONA: (*Se mete un pase y se lo pasa a Jed.*) No entiendes lo mucho que mi familia significa para mí... No te importa...

JED: Ronny, *fuck them*. Mándalos al carajo, como dicen ustedes. Ahora yo soy tu padre, y la cámara es tu madre. (*Indicándole a Joaquín que filme.*) Sí, y el público, allí en el fondo del oscuro aire acondicionado de los cines de Norteamérica, son tus hijos.

RAMONA: (*Sale, confundida.*) ¿Cuál es mi personaje? ¿Quién soy? ¿De dónde vengo? ¿A dónde voy?

JOAQUÍN: Mira lo q'iciste... Ahora 'stá toda confundida.

JED: Se le van a quitar las confusiones cuando la convierta en "*Ronny Rocket, the Rock Riot*".

JOAQUÍN: ¡La quieres hacer una gringa como Raquel Welch o Rita Hayward!

JED: *Listen, Many*, tenemos serios problemas de dinero. Los *backers* nos tienen con la soga al cuello. Y Ramona no ha tenido un *hit* en años. Ya nadie sabe quién es. Menos van a pagar por ver una *spik* en la pantalla.

JOAQUÍN: Disculpa, güerito, pero no entiendes nada. Los latinos semos la minoría que más está creciendo en los Estados Unidos. Y ahí como la ves, nuestro dinero sigue siendo verde.

JED: Sí... ¿y qué hacemos con el mercado blanco?

JOAQUÍN: (*Cantando como Richie Valens.*) "Para bailar la bamba, para bailar la bamba se necesita una poca de gracia... una poca de gracia y otra cosita... ay, arriba y arriba..."

JED: *That's it!* ¡Podemos hacer una película sobre un *rock-*

star mexicano que tiene que ponerse un nombre gringo para vender discos, y su novia es güera!

JOAQUÍN: (*Otra vez como Richie.*) "*Oh Donna, oh Donna...*"

JED: Se muere en un trágico accidente de avión. Y les va a gustar a blancos, negros y rojos. ¡Millones de dólares!

RAMONA: (*Entra como Linda Ronstadt.*) "¡Aaaaaaay qué laureles tan verdes...... qué rosas tan encendidas.....!" ¿Qué les parece mi nueva imagen?

JED: ¡Arriba, arriba! ¡Ándale, ándale!

Intenta girtar como mariachi.

JOAQUÍN: Estoy bien contento que reencontraste tus raíces mexicanas, Ramona.

RAMONA: Gracias, carnal. Se siente tan bonito ser latino.

JED: *Brown is beautiful.*

JOAQUÍN: Ahí vienen los sustitutos quezque a audicionar para la película.

JED: ¡Rufus! ¿Eres tú? *Sonofabitch*, sabía que ibas a regresar.

RUFUS: (*Quitándole la mano de su hombro.*) ¡Mi nombre es Malcolm!

JED: Está bien. Malcolm. ¿Qué experiencia tienes?

RUFUS: He actuado como esclavo, obrero, soldado, hombre invisible.

JED: ¿Hombre invisible?

RUFUS: Sí. Los blancos, parece que no me ven nunca. Hacen como si no estuviera y quieren olvidarse de mí.

JED: ¡Ja, ja, qué chistoso...! Mira, Malcolm, estamos haciendo una película sobre la vieja California. Necesitamos un mexicano de tipo mestizo. Pero probablemente tú podrías dar el gatazo, como dicen ellos.

RUFUS: La verdad es que no les va mejor que a nosotros.

JED: Pruébate esta bandana, para que te tape el afro.

RUFUS: ¿Como cuando los blancos se pintaban cara de negros?

JED: Es un papel mudo, Kunta. Lo quieres, sí o no.

RUFUS: ¿No tienes ningún revolucionario negro entre tus personajes?

JED: No, no por el momento.

RUFUS: Es que yo quiero ser un revolucionario negro.

JED: Tal vez más adelante podemos ofrecerte algún papel en una película de acción con Denzel Washington. Tú sabes: *Blue Devil* o algo así. (*Despidiéndolo.*) ¿Quién sigue?

POCATONTAS: Soy yo, Simonhow...

JED: ¡Una piel roja en acción! Pásale, por favor, no necesitas "reservación".

POCATONTAS: Simonhow es Mujer de Espíritu. Mujer que Sabe Muchas Cosas.

JED: Perdón, pero no necesitamos a nadie de ese tipo. Aquí Miss Ramona necesita una sustituta, porque tiene que hacer una película nueva. Su personaje es una latina calladita y caliente que se cachondea con el *Spanish Bastard:* yo. ¿Haz hecho de totem?

POCATONTAS: No, pero he sido esclava, concubina, criada...

JED: No te preocupes. Esta parte la puedes hacer acostada. Pruébate este sarape, *very authentic.*

POCATONTAS: Pero yo soy una persona real, mi espíritu es verdadero. Yo no puedo actuar como india de madera.

JED: Entonces le hacemos como indios y vaqueros.

POCATONTAS: Sólo si hacemos *La última parada de Custer.*

JED: Muy chistosa... ¿Quién sigue? Aquí damos oportunidad a todos los trabajadores, sin importar la raza o el pedigree. ¿Quién sigue?

JOAQUÍN: Soy yo. O qué, ése, ¿ya no te acuerdas de mí? El último de tu colota de estereotipos: la combinación de tu Peón Huevón, Frito Bandito, Zorro Porro, Cantinflas, Bato Loco y *Wetback.*

JED: Oye, ¿qué tal una película sobre *gang explotation* en el *explosive East* Los Barrios, eh? ¿No? Bueno, Kunta, ¿a ti qué te parece una película con Harry Belafonte? Déjame ver qué tal bailas, sé que tienes el ritmo. (*Jed baila, el resto de los actores lo rodean en silencio.*) Eh, ndede ndede ndede,... ¡Simonhow! ¿Qué tal un comercial de maíz integral, eh? Ya sabes: "Nuestros ancestros trabajaban la tierra y al final de la jornada eran premiados con la dorada bondad del *maize.*" (*Saltando en un pie.*) *Whoop! Whoop! Whoop!*

RAMONA: Jed, esas distorsiones han arruinado la mente de generaciones de niños. ¿En verdad es así como tú nos ves?

JED: Ahora también tú... Siempre supe que eras uno de ellos.

RAMONA: Pero claro que lo soy. Soy negra y café y blanca. Y a mucha honra.

JED: ¿Ah, sí? Pues déjame decirte algo. Yo también soy minoría: tengo sangre judía, Henry Kissinger. Mi pueblo ha sido perseguido por más de 2000 años sólo porque dicen que matamos a Cristo Jesús.

JOAQUÍN: Damas y caballeros, nos hemos reunido aquí para freír en aceite hirviendo a este gran cineasta Americano.

JED: *Please, please!* Se están tomando esto demasiado en serio, ¡nada más es una película!

JOAQUÍN: Nosotros, la asamblea representativa de las llamadas minorías, aunque de hecho ahora somos la mayoría, queremos rendirte homenaje, Jeddediah Goldbanger Smith...

JED: ¿Un minuto, no les falta nadie? ¿Dónde esta Bruce Lee? (*Asumiendo pose de artes marciales.*) ¡Toyota! ¡Datsun! ¡Sony! ¡Mao! ¡Chop Suey!

JOAQUÍN: Jed, desde el fondo de nuestros corazones, te agradecemos que nos hayas convertido en tan memorables estereotipos, por el incremento de nuestro complejo de inferioridad, por la profanación de nuestra cultura, y por la distorsión de nuestra historia.

JED: No se te olviden los *cubans*, y los *italians*, y los *polacks...*

JOAQUÍN: Por eso, como prueba de nuestra estima, te tenemos un regalo.

Ceremoniosamente le entregan una máscara de un Cerdo Redneck, Porky.

RAMONA: ¡Jed... Definitivamente, tienes que cambiar tu imagen!

JED: ¡Mi imagen! ¡Mi imagen! Oh, no... No podría aceptarlo, *really*. Pero quiero agradecer a todos inmigrantes sus atenciones para conmigo. (*Música extraña, como de pesadilla. Bajan las luces. Solo, y a su pesar, Jed se prueba la máscara.*) Me temo que no me queda muy bien. ¡Esperen! ¡Corten la escena! ¡Corte! ¡Cooooooorte!

Oscuro. En otro lado del escenario, Rico y Victoria salen como de una sala de cine, vestidos de noche.

VICTORIA: ¡¿Dios, no estuvo fantástica la película?! En el *TIME* escribieron que *Rancho Hollywood* era el más profundo análisis de la historia de California que jamás se había hecho.

RICO: Todavía no puedo entender cómo Joaquín, Malcolm, Jed, Ramona y Simonhow... Bueno, cómo todos lograron ponerse de acuerdo para que este proyecto fuera tan exitoso.

VICTORIA: ¡Y Ramona estuvo maravillosa! Te apuesto que la nominan para un Oscar. (*A alguien del público.*) Él es su padre.

RICO: Y ella su madre.

VICTORIA: ¡Ay! Cómo me hubiera gustado que nos quedáramos a trabajar en la película.

RICO: No te preocupes, oí que van a filmar la segunda parte de *Rancho Hollywood*... Ahí es la recepción. Toda la crema y nata de Hollywood está aquí esta noche.

VICTORIA: (*Mientras entran al área central, enseñando sus pases a un guardia imaginario.*) Míralos, ahí están, bebiendo champaña!

Vemos a los otros festejando.

RICO: No seas tan entrometida, déjalos disfrutar de la fama.

POCATONTAS: El director de programación de CBS me dijo que quiere hacer una serie de televisión basada en *Rancho Hollywood.*

RUFUS: ¿De verdad? Pues un agente de Broadway me dijo que querían producir la versión musical.

JED: Oigan, ¿no están contentos que logramos quitarnos de desmadres?

JOAQUÍN: Simón que *yes*, carnal. Eres más alivianado, ése, ya no te agüitas.

RAMONA: Joaquín tiene razón, Jed. Te has hispanizado muchísimo.

JED: Sí, estoy hablando español casi sin acento... (*Joaquín y Ramona ponen cara de "lo dudo".*) y puedo comer hartos jalapeños sin llorar.

POCATONTAS: Me acaban de avisar: ¡*Rancho Hollywood* fue nominada para siete Óscares!

JED: ¿Por qué no? Ganó más de cincuenta millones en la primera semana.

JOAQUÍN: ¡Salud, batos!

Brindan.

VICTORIA: (*A Rico.*) No lo puedo creer. Estoy tan orgulloso de ellos.

RICO: Todo por lo que luchamos se ha hecho realidad.

POCATONTAS: (*A Malcolm.*) ¿Sabes? Ahora que tengo tanto dinero, no sé que hacer con él.

RUFUS: Yo me voy a regresar a Harlem. Compré una cadena de tiendas de licor.

POCATONTAS: Yo estuve en la reservación para ver si puedo abrir un casino.

RICO: ¿Tiendas de licor? ¿Casinos?

JED: Oye, Joaquín, ¿y a ti cómo te ha tratado últimamente el mundo del arte?

JOAQUÍN: Pus he estado pintando unos murales bien chidos: como de Orozco, pero con un toque de Rivera y de Siqueiros.

JED: ¿Arte público?

JOAQUÍN: Nel pastel, carnal. Los pinches chamacos del barrio se la pasan llenando mis murales de espray.

JED: Pero las masas necesitan alguna forma de cultura, Joaquín.

RAMONA: ¡Ay, Jed! Pareces jipi sesentero.

RICO: ¿Y eso qué tiene de malo?

JOAQUÍN: Yo por eso ahora hago puros interiores, ése... El Bank of America, el Hilton Inn, esa clase de lugares.

RICO: Victoria, esto no me suena bien...

VICTORIA: A mí tampoco.

RAMONA: Pues fíjate, después de haber reencontrado mis raíces mexicanas, he decidido invertir en tesobonos...

Todos menos Rico y Victoria se paralizan.

RICO: ¿Ya se les olvidó todo? ¡Despierten! (*Hablando a oídos sordos.*) ¡No piensen solamente en su propia ganancia!

VICTORIA: Se están volviendo más gringos que los propios gringos. Todos los adelantos sociales que hemos conseguido están en peligro de ser barridos y olvidados.

RICO: A nosotros los pobres nos quieren quitar nuestro seguro médico, subvenciones, garantías. La ley 187 está acabando con nosotros...

VICTORIA: ¡No se te olvide, igualdad de derechos para la mujer!

RICO: No nos den la espalda, por favor. ¡Escúchenos! ¡Escuchen!

JED: ¡Pero si es don Rico... y la suegra...! ¡Volvieron!

VICTORIA: No pueden hacernos esto...

RICO: Es injusto...

JOAQUÍN: ¿De que hablas, carnal?

POCATONTAS: ¿No te gustan los casinos?

RUFUS: ¿Ni la cerveza? Puede ser Corona.

RICO: Olvidan a sus hermanos mexicanos que cada día padecen más la discriminación de este país.

JED: Esperen, esperen. Don Rico tiene razón: tenemos que encontrar la mejor forma para que nuestras culturas convivan en paz.

RAMONA: Aprovechamos que la economía mexicana está tan unida a la gringa. ¡Borremos las fronteras, y que viva la globalización!

RICO: ¿Eso qué significa para el pueblo?

RAMONA: Que vamos a romper la cortina de la tortilla.

VICTORIA: ¿Para que los indocumentados entren libremente a trabajar a California?

POCATONTAS: Sí, y que sirvan ellos en nuestros restaurantes.

RUFUS: Y en los ranchos. Y en las fábricas.

RICO: ¿Quieren entregarle nuestro país a los gringos?

JED: Claro que no, Don Rico. ¡Vamos a entregar Estados Unidos a México! Formemos un estado único entre ambos países, y probemos que los americanos de diferentes razas, religiones y credos, podemos trabajar juntos... (*Al público.*) Ayúdenos, amigos, ayúdenos en nuestra campaña por integrar nuestras culturas... Y vivir juntos, por siempre, en paz y felicidad...

Fin.

Rancho Hollywood se estrenó en el Teatro El Galeón, en marzo de 1996, con el siguiente reparto:

JEDDEDIAH GOLDBANGER SMITH:	Alejandro Tommasi
RÍO RICO:	Gerardo Moscoso
RAMONA RICO:	Anilú Pardo
VICTORIA RICO:	Norma Angélica
JOAQUÍN, SUPER BATO Y MANUEL LABOR:	Silverio Palacios
POCATONTAS, GERÓNIMA Y SIMONHOW:	Adriana Olivera
RUFUS, MARTIN Y MÁLCOLM:	Lázaro Patterson

ESCENOGRAFÍA:	Mónica Raya
ILUMINACIÓN:	Gabriel Pascal
VESTUARIO:	Adriana Olivera y Juan Carlos Castillo
MUSICALIZACIÓN:	Annette Fradera
COREOGRAFÍA:	Anilú Pardo
PRODUCCIÓN EJECUTIVA:	Genoveva Petitpierre
ASISTENTE DE DIRECCIÓN:	Claudia Romero
CONSTRUCCIÓN:	Fermín Sánchez y Jesús Corona
PINTURA ESCÉNICA:	Alberto Orozco
TRADUCCIÓN Y DIRECCIÓN:	Iona Weissberg

Las fotografías que acompañan a esta obra son de Obdulia Calderón.

Johnny Tenorio

Acto teatral chicano

Traducción de Eduardo Rodríguez Solís

Personajes

BIG BERTA:
Madre tierra, curandera de edad indefinida.

JOHNNY TENORIO:
Joven guapo, violento. Un burlador de mujeres.

ANA MEJÍA:
Muchacha hermosa. Novia de Johnny, hermana de Louie.

DON JUAN:
El padre de Johnny, de cincuenta y tantos años.

LOUIE MEJÍA:
Joven, no tan guapo como Johnny.
Un aspirante a burlador de mujeres.

La acción se desarrolla en el Big Berta´s Bar *en la calle Guadalupe de San Antonio, Texas. El tiempo es el presente. Al centro hay una barra de madera con bancos altos. Arriba de la barra hay un altar, como los que se usan durante las festividades de Día de Muertos. A un lado, arriba de las botellas de licor, está una pintura de la Virgen de Guadalupe. El establecimiento tiene el ambiente de una cantina, con aserrín en el suelo —lo mejor para absorber los escupitajos y la sangre— ya que este vecindario es conocido como "El Barrio de las Tripas" por las muchas riñas que ocurren allí. Algunas mesas y sillas están dispersas por todos lados. Una rockola dorada está en un rincón. También hay una puerta principal que da a la calle. Entra Berta cantando "El corrido de Juan Charrasqueado".*

BERTA: Voy a cantarles un corrido muy mentado.
Lo que ha pasado allá en la Hacienda de La Flor. (*Entra Johnny con máscara de calavera simulando el galope y los relinchos de un caballo.*)
La triste historia de un ranchero enamorado. (*Johnny echa unos gritos.*)
Que fue borracho, parrandero y jugador.
Juan se llamaba y lo apodaban Charrasqueado (*Johnny ladea su sombrero. Frena y detiene su caballo.*)
Era valiente y arriesgado en el amor.
A las mujeres más bonitas se llevaba
De aquellos campos no quedaba ni una flor.

Entra Ana haciéndose la coqueta, llevando una máscara de calavera. La acción se torna lenta.

JOHNNY: (*Apasionadamente, atrapando a Ana.*) ¡Véngase conmigo, mamasota!
ANA: (*Protestando con descaro.*) Ay, señor. *Leave me alone.* Soy señorita y estoy comprometida.
JOHNNY: Así me gustan más.

Cargando a Ana, quien chilla y patalea. Salen de escena.

BERTA: Un día domingo que se andaba emborrachando. (*Entra Johnny con una botella de tequila.*)
A la cantina le corrieron a avisar.
Cuídate, Juan, que ya por ahí te andan buscando.
Son muchos hombres, no te vayan a matar.
JOHNNY: Pues, que le entren... A ver quién es el más macho.

Entra Louie con máscara de calavera y revolver.

BERTA: No tuvo tiempo de montar en su caballo. (*Cámara lenta: Johnny monta su caballo y es balaceado por Louie.*)
Pistola en mano se lo echaron de a montón.
JOHNNY: Ando borracho y soy buen gallo.
BERTA: Cuando una bala atravesó su corazón.

Johnny cae mientras Louie desaparece.

JOHNNY: (*Después de una pausa, Johnny se sienta abruptamente y mira hacia el público. Se levanta.*) ¡Ajúa! ¡A mí no me matan tan fácilmente, cabrones!

Sale de escena, carcajeándose y fanfarroneando. Berta comienza a limpiar la barra, chiflando el corrido como si nada hubiera pasado.

DON JUAN: (*Entrando.*) Berta. ¿Está abierto?
BERTA: Claro que sí, pásale. Pásale, don Juan, *I was just* tocando *one of my favorite* rancheritas.
DON JUAN: (*Moviéndose hacia el altar.*) Mira nomás.

BERTA: *You like it?*
DON JUAN: ¡Qué emoción!
BERTA: Pues, ya sabe. Hoy es Día de Muertos, y esta noche las almas regresarán a sus lugares favoritos. *Are you ready?*
DON JUAN: Sí, estoy listo. Traje mi máscara.

Enseñándole a Berta una máscara de calavera.

BERTA: *Wonderful.* Va a haber velorios y plegarias expresando el amor que sentimos por ellos. Esta noche, don Juan, celebramos a la Muerte.

Sirviéndole una cerveza "Budweiser".

DON JUAN: Pues, como dicen los gringos, pa' dentro.

Levantando su cerveza.

BERTA: Por las almas perdidas. (*Chocan sus latas de cerveza.*) Ahora, a ver si puedes adivinar... ¿De quién es este altar?
DON JUAN: A ver, a ver, a ver. (*Fijándose un tiempo en el altar.*) ¡No me digas!
BERTA: (*Levantando un juego de dados.*) Sí, le gustaba el juego. (*Levantando una botella de tequila.*) Y el tequila.
DON JUAN: ¡También! (*Berta levanta un paquete de cigarros Winston.*) ¡No me digas que se murió de cáncer!
BERTA: No, hombre. (*Mostrándole a don Juan las páginas centrales de la revista* Playboy.) ¡De esto!
DON JUAN: ¡Murió de eso! ¡Pero, cómo es posible, Diosito Santo!
BERTA: (*Sosteniendo una lista.*) *Watcha. A list of his* conquistas. ¿Quieres oírla?
DON JUAN: No, no, no.

Visiblemente agitado.

BERTA: (*Haciendo la lectura.*) En Texas, noventa y un *babies.*
Arizona, docenas de *ladies.*
California, cien. Y mira nomás

Nueva York, ni más ni menos que mil.

Las güeritas rete sexis,
las morenas muy complexis,
las inglesas las domina,
las latinas las refina.

En invierno las gorditas,
en verano las flaquitas,
a las altotas las escala,
las chaparras son de gala.

Camareras, cantineras,
rancheritas, urbanitas,
abogadas, tamaleras,
mujeres de todos grados,
todas formas, todos los estados.

Anda tras las ancianas.
¿Jovencitas? Les dan ganas,
mujeres con años de casadas,
novias recién enamoradas.

No le importa: sean ricas
sean feas, sean chicas.
Mientras tengan su faldita
pa' agregar a su listita.

DON JUAN: Madre de Dios.

BERTA: (*Refiriéndose a la pintura de la Virgen de Guadalupe.*) Ruega por nosotros.

DON JUAN: (*Haciendo la cruz.*) Y por el alma del difunto.

BERTA: ¿Y sabes qué? *After every conquest, every* amorío, venía aquí, a confesarse, a limpiar su alma. Esta cantina era su fuente de la juventud. (*Un fuerte toquido se escucha. El sonido viene de la puerta principal.*) ¿Quién es? (*Acercándose a la puerta.*) ¡Está cerrado! (*Siguen tocando. Ahora más fuerte.*) Pinches borrachos, cómo friegan. (*Mirando a través del ojo de la cerradura.*) ¡Ah, es él!

DON JUAN: ¿Quién?

BERTA: Johnny.
DON JUAN: Juanito.
BERTA: Se ha adelantado. No lo esperaba hasta media noche. Ponte tu máscara. No quiero que te reconozca.

Don Juan se pone la máscara y se sienta en un banco alto de la barra, mientras Berta abre la puerta. Entra Johnny, se tambalea, su rostro está pálido.

JOHNNY: ¡Berta! Un tequila.

Johnny se sienta lentamente, dolorido.

BERTA: Trabaja un tequila doble.

Se mete en la barra para servirle su copa.

JOHNNY: (*A Don Juan.*) ¿Y usted, qué hace? ¿Jugando al *Halloween?* (*Don Juan sólo baja su cabeza dolorosamente.*) Qué clase de clientes tienes, Berta.
BERTA: (*Sirviéndole a Johnny.*) ¿Qué te pasa Johnny? Tus manos tiemblan, y estás blanco como un fantasma. Y, ¿qué tienes en tu camisa...?
JOHNNY: No es nada. Tuve un pleito con un *husband* celoso. Pinche gringo.
BERTA: Otra vez el burro al trigo. ¿Qué paso?
JOHNNY: ¿Qué crees? (*Saca su pistola y la pone en forma violenta sobre la mesa.*) Bam, bam, bam. Para abajo. *Down, down, down.* Escena con sangre, mujer gritando con histeria sobre el cuerpo. Sirenas de policía.
BERTA: Ay, Johnny, ¿por qué te metes siempre en tantos líos?
JOHNNY: (*Dándole una nalgadita.*) Me gusta vivir peligrosamente, *you know, baby.*
BERTA: (*Dándole un bofetón.*) ¡Johnny! (*Pausa.*) ¿Quieres que te cure tus heridas?
JOHNNY: *No problem*, Berta, *no problem*. Es sólo un pequeño rasguño. ¿Y dónde están todos los batos locos?
BERTA: (*Recogiendo la pistola, colocándola ante el altar.*) No te apures, ya llegarán.
JOHNNY: No he estado aquí desde...

BERTA: Desde que mataste a Louie Mejía con un filero, *right there.*

Señalando un lugar en el suelo.

DON JUAN: ¿Mató a un hombre ahí?
JOHNNY: Ay, Berta, no tienes que hacerme publicidad. Casi puedes ver la sangre en el suelo.
DON JUAN: Pero, ¿cómo, por qué?
JOHNNY: Porque me dio la pinche gana.
DON JUAN: Qué vergüenza.
JOHNNY: Y no tengo por qué arrepentirme. Era él o yo. La ley de la selva.
DON JUAN: Qué lástima. Que Dios te perdone.
JOHNNY: Óyeme, viejo, no necesito el perdón de nadie. ¿Qué te trais?

Acercándose a Don Juan.

BERTA: (*Deteniéndolo.*) No te preocupes, Johnny. Es sólo un cliente. Tómate otro tequila. La casa paga.

Le sirve otro tequila.

JOHNNY: (*Agarrando a Berta de la cintura y sentándola en sus piernas.*) Hey, Berta, ¿por qué no te casas conmigo, eh?
BERTA: Johnny, *you are not my type*. Además, coqueteas con todas las rucas. ¿A poco me serías fiel?
JOHNNY: Berta, tú eres mi onda gruesa. Yo moriría por ti. Tú sabes que sí.

Trata de besarla apasionadamente. Berta no se deja. Es un juego que siempre practican.

BERTA: Johnny, ¿sabes qué día es hoy?
JOHNNY: No sé. ¿Sábado? Para mí siempre es "fiebre del sábado por la noche".

Hace un movimiento sexual como John Travolta.

BERTA: Hoy es Día de Muertos. Y si te digo que puedo hacer aparecer a las almas, ¿me creerías?

JOHNNY: (*Siguiendo con el juego.*) Claro que sí. Eres una curandera, ¿qué, no?

BERTA: Muy bien, Johnny. Cierra los ojos. Concéntrate. (*Una flauta suena a la distancia.*) Escucha. ¿Oyes algo? (*Percusiones de tambor.*) Son los sonidos del pasado, Johnny, las voces de nuestros antecesores.

JOHNNY: ¡Ah, sí! Es *Halloweenie*.

Los tambores y las flautas se escuchan más fuerte. Todos los flashbacks se hacen de esta manera.

BERTA: Qué *Halloween* ni que mi abuela. Hablo del Mictlán, el mundo subterráneo, el lugar donde descansan los huesos. Y aquí la primera visita: un viejo amigo.

JOHNNY: (*Entra Louie.*) ¡Louie!

BERTA: Sí, es Louie Mejía.

JOHNNY: Pinche Louie.

BERTA: ¿Cómo fuiste capaz de matarlo? Si eran tan grandes amigos.

JOHNNY: Es que ... me cagó el palo.

BERTA: Se pelearon por causa de Ana, ¿verdad?

JOHNNY: Sí, todo empezó con esa apuesta de ver quién se había clavado más rucas en un año. ¿Te acuerdas? Prometimos vernos aquí para comparar cifras. *The winner was to win* mil bolas.

LOUIE: (*Abrazando y apretando la mano de Johnny.*) Hace mucho tiempo que no te vidrios. *Watcha tu tacuche.*

JOHNNY: (*Posando, modelando su traje.*) De la cabeza a los cacles, ¿cómo me ves, Radamés?

LOUIE: Puro relajo carajo.

JOHNNY: Pues ponte abusado, malvado. (*Moviéndose hacia Berta.*) Berta, dos birrongas.

LOUIE: *Same old Johnny.* No has cambiado ni un pito. *This year went by fast.* Órale, vamos a ver quién es *the badest* culero *in all of San Anton.* ¿Tienes tú mil bolas?

JOHNNY: (*Poniéndolas sobre la mesa.*) Simón que *yes*. Dale gas.

LOUIE: Bueno, cuando me largué del *high school* me fui directamente a México.

JOHNNY: Cuando cruzaste el Río Grande, hiciste la brazada de espaldas?

Hace como si estuviera nadando.

LOUIE: No, hombre. Crucé el puente manejando mi ramfla, vestido en mi *zoot suit.* Los batos puras babas y las güilas puro calor. Me fui hasta el D.F. Tú sabes, la mera capirucha.

JOHNNY: ¿Capirucha? ¿*What the hell is a* capirucha ?

LOUIE: *It means the CAP, the capital.* México tiene forma de pirámide. Desde las costas a la capital. *You should check it out.*

JOHNNY: Puro pedo. Nunca fui ni pienso ir. Mi papá trabajó como burro para largarse de allí.

LOUIE: Pues no sabes lo que te has perdido. Me metí con una de esas niñas popis, de las que viven en Las Lomas y van de compras al *mall.*

JOHNNY: He oído de ellas ¿como las fresas del pedregal?

LOUIE: Simón. Me hice de una buena dosis de encanto chicano y le prometí casarme con ella. Su mami nos cachó cochando. ¿Ves? Pero la noche antes de la boda me largué con la hermana menor.

BERTA: (*Quien ha estado escuchando todo con don Juan.*) ¡Qué desgraciado!

LOUIE: Le prometí traerla a Disneylandia pero, nel pastel. Puras papas. La dejé plantada en Monterrey y me largué para San Antonio.

JOHNNY: Ta cabrón, Louie. *But only two chicks in one year?* (*Con una señal, le pide a Berta dos cervezas más.*) No es un buen récord.

LOUIE: Y nomás llegué a San Antonio y me ensarté a 54 más, para un gran total de 56.

JOHNNY: ¿Cómo puedo confiar en tus números?

LOUIE: (*Agarrando la mano de Berta, cuando ella le sirve.*) Nomás párate en cualquier esquina del barrio. Cuenta a las *babies* que pasan con mis iniciales tatuadas en su mano.

Berta le da un manazo. Los parroquianos ríen.

JOHNNY: Órale, pues, Louie, así me gusta.

LOUIE: Ya vas que chutas. Chingón.

JOHNNY: *I took the Greyhound Bus* al norte *to the Big* Manzana —*New York, New York*— Tan grande que tienes que decirlo dos veces. Terminé en el Harlem español. Me di cuenta de una cosa, al hacerme pasar por puertorriqueño: que a los boricuas los tratan como puercos.

LOUIE: ¿No los quieren?

JOHNNY: Naranjas dulces. Los tratan como a los mojados en Texas.

LOUIE: Qué gacho.

JOHNNY: Pero si les hubiera dicho a los bolillos que era un chicanón, me hubieran tratado rete *nice*.

LOUIE: ¿Por qué?

JOHNNY: No sé. Será algo que tiene que ver con el buen karma.

LOUIE: ¿Karma? ¿Qué es karma?

JOHNNY: No sé, algo de los indígenas. Quizás tiene que ver con la comida mexicana o las pirámides. Algo así.

LOUIE: Oye, conociéndote bien, no les dijiste que eras "*Spanish*".

JOHNNY: Hombre, tú sabes que nunca me niego de ser mexicano. A veces hacía menudo e invitaba a los gabachos a desayunar. Sabíamos que no se lo comerían si les decíamos que era de tripa de vaca. ¡Se los servía como "guisado de indio americano". Se lo tragaban como puercos.

LOUIE: Qué curada, Johnny.

JOHNNY: Pinches gringos. Hey, pero las güeritas: ¡mamasotas! Nunca le sacaban al parche —y cuanti menos si se topaban con un machote como yo. Me las comía a todas. Gringas, judías, checas, irlandesas, italianas, negritas... Era como las Naciones Unidas. Me las robaba de las narices de sus padres, novios, esposos. Me iba a la central camionera para clavarme sobre los huesos de las chavalonas.

Flashback: flautas y tambores. Entra Ana con peluca rubia. Johnny camina en una terminal de autobuses.

JOHNNY: *Hey, mama, what's happening? Where you from, girl?*
GIRL: California.
JOHNNY: ¿Califas? Órale, yo también. ¿De qué lugar?
GIRL: San Diego.
JOHNNY: ¿San Diego? *All right*, yo también soy de San Diego. *What a coincidence.*
GIRL: ¿De verdad?
JOHNNY: Somos paisanos, *Hey, you wanna go party?* (*Saca un cigarro de mariguana.*) Tengo algo de mota pa' ponerse bien pacheco. Me parece que tienes hambre. *You wanna hamburger?*
GIRL: *No, thanks.*
JOHNNY: (*Dándole dinero.*) Toma, cómprate un hotdog. Ándale. Con confianza.

Se retira.

JOHNNY: *Wait a minute... This your first time in the city?* (*Girl mueve su cabeza afirmativamente.*) ¿Qué haces aquí?
GIRL: *I ran away from home,* mi papá ya no me aguantaba.
JOHNNY: ¿Te largaste de tu casa? (*Johnny recoge la bolsa de la chica.*) Pues yo tengo un cantón rete padre donde te puedes quedar. ¿Cuántos años tienes?
GIRL: *Eighteen*. Bueno, catorce, en realidad.

Johnny la toma de la mano, cariñosamente. Ella sale de escena. Termina flashback.

BERTA: (*Hablando con Don Juan.*) Eso es lo que se me olvidaba para el altar. ¡Mariguana!

Lleva unos cuantos cigarrillos de mariguana y los pone en el altar.

JOHNNY: Y así es el juego.
LOUIE: ¿Tan fácil te las abrochabas?
JOHNNY: *Yeah.* Les hacía un favor. Si había bronca con la chota, las sacaba del bote. Si pescaban un aire malo, las llevaba al doctor. *I took care of my ladies, bro*. Además, si no lo hacía yo, otro bato lo haría.

LOUIE: *What a* desmadre. ¿Y cuántas tuviste en total?
JOHNNY: *Seventy two!* Y con seis me tuve que casar. El que pierde, paga.
LOUIE: ¡Setenta y dos! *I don't believe you.*
JOHNNY: (*Arrojando sobre la mesa un paquete de documentos legales.*) Aquí están los litigios de paternidad y copias de los récords policiacos. ¡He sido ni más ni menos que un pinche turco!
LOUIE: Qué bárbaro. ¡Y tantas gringas!

Examinando los documentos.

JOHNNY: Son las más facilitas.
LOUIE: ¿Por qué?
JOHNNY: La liberación femenina; digo, el "libertino" femenina.

Los dos se ríen del chiste.

LOUIE: ¿Cuántas horas has de emplear para cada ruca que vas a amar?
JOHNNY: Una hora para enamorarme de ellas. Otra para hacerles el amor. Una tercera para abandonarlas... y sesenta segundos para olvidarlas.
LOUIE: ¡Chingao! No puedo compararme contigo.

Dándole a Johnny su dinero.

JOHNNY: ¿Para qué apostar? ¡Sólo hay un Johnny Tenorio en el mundo!

Agarrando el dinero.

LOUIE: Alguien te lo va a cobrar un día.
JOHNNY: Tan largo me lo fías. Pero, ¿te gustaría tener una oportunidad para recuperar tu lana?
LOUIE: Simón que *yes.*
JOHNNY: *You have a sister.*
LOUIE: ¿Ana?
JOHNNY: Está bien chula.
LOUIE: Estás loco. Apenas tiene *fifteen.*

JOHNNY: Te dije que me gusta la carne fresca.
LOUIE: Ahora sí que me estas cayendo gordo, güey.
JOHNNY: ¿A ver? ¿A poco crees que no la puedo hacer caer?
LOUIE: Ponte abusado, malvado.
JOHNNY: No me chingues, chango.
LOUIE: Puro pedo, puto.

Están a punto de iniciar una bronca, tirando sillas, rompiendo vasos, etc. Sacan su navaja al mismo tiempo. Johnny desarma a Louie, lo tira al suelo, y está a punto de apuñalarlo, cuando Berta le detiene.

BERTA: Cálmala, Johnny.

Louie queda congelado.

JOHNNY: ¿Qué?
BERTA: Ya lo mataste una vez. *Do you want to kill him again?*
JOHNNY: (*En voz baja, algo confundido.*) Pues no, no si realmente está muerto.
BERTA: Qué lastima, Johnny. Agarraron muy buenas ondas juntos.
JOHNNY: *Yeah.*
BERTA: Era como tu hermano. ¿Por qué lo hiciste?

Louie sale de escena.

JOHNNY: Era él o yo, Berta. Tú sabes que este es el Barrio de las Tripas.

Johnny sale de escena.

DON JUAN: Y no puedo ver más.

Quitándose la máscara.

BERTA: ¿Cómo que no?
DON JUAN: Qué tragedia.
BERTA: Disculpe, don Juan, pero más parece una comedia. Andale, *sit back, have another* cheve.

Tratando de servirle otra cerveza.

DON JUAN: No quiero más.
BERTA: Cuando menos sabes hasta dónde parar. Él no.
DON JUAN: ¿Tú crees que los pecados del padre se han transmitido al hijo?
BERTA: Don Juan, con todo respeto, yo no estoy aquí para juzgar. Yo solamente cuento la historia de Johnny, *an old* cuento que todos conocen. Algunos dicen que empezó en España, otros que es un legado de los moros. Lo que sí sé es que él vive en todos nosotros.
DON JUAN: Síguele, pues.

Volviendo a ponerse su máscara.

BERTA: Ahora llamaré al espíritu de Ana. (*Flautas y tambores. Entra Ana, vistiendo uniforme de una escuela católica, llevando sus libros.*) Ana, como ella alguna vez fue... Johnny, Johnny, dinos lo que pasó con Ana. No me digas que no la amaste, yo te conozco, mosco.
JOHNNY: (*Regresando a escena.*) ¿Amor? No sé lo que quiere decir la palabra, Berta.
BERTA: *Why didn't you try to learn more about* el verdadero amor, Johnny, en vez de jugar con él?
JOHNNY: Soy un jugador, Berta.
BERTA: Entonces, juega con lo que sigue.

Berta truena sus dedos.

JOHNNY: (*Cruzándose con Ana.*) *Hi, Ann.*
ANA: *Hello, Johnny, are you looking for Louie?*
JOHNNY: *No, I was looking for you.*
ANA: *Me?*
JOHNNY: ¿Quieres que te dé un aventón?
ANA: No, gracias. Tengo que ir a la escuela.
JOHNNY: He.... he querido platicar contigo.
ANA: ¿De veras? ¿Sobre qué?
JOHNNY: Cosas que pesan mucho en mi mente. (*Ana se detie-*

ne. Johnny toca su hombro.) Tu piel es suave, como la de un bebé.

ANA: Perdóname, pero se me hace tarde.

JOHNNY: ¿Qué te parece un *ride* después de la escuela?

ANA: No sé. Tengo mucha tarea. De veras, me tengo que ir. *Bye.*

Ana se aleja de Johnny, y se congela.

BERTA: Así que al principio no pudiste con ella, ¿eh?

JOHNNY: No. Pero nunca me di por vencido. La esperé todos los días, después de la escuela. Tarde o temprano, supe que iba a caer.

BERTA: Hum. Cuéntame.

JOHNNY: Bueno, un día nos tomamos una coca, ahí, en la esquina. (*Ana se descongela, al momento que los dos se sientan en una mesa.*) ¿Te das cuenta? No te voy a morder.

ANA: Es que tienes fama de burlador de mujeres. Eso es lo que dicen las malas lenguas.

JOHNNY: Claro. Puedo tener miles de chamacas. Listas, cifras en libros para llenar una biblioteca. Pero yo no soy mujeriego.

ANA: Entonces, ¿quién eres, qué quieres?... de una muchacha, digo.

JOHNNY: Soy un hombre que busca a alguien con quién... platicar. A veces deseo haber tenido una hermana como tú.

ANA: ¿Tienes amigas? Quiero decir, ¿sólo amigas?

JOHNNY: Claro. Una de mis mejores amigas es Berta, la cantinera de Big Berta's en Guadalupe Street.

ANA: ¿Y por qué la quieres tanto, como amiga?

JOHNNY: Ella es alguien a quien le cuento mis problemas. Ella es capaz de escuchar y entender mis sentimientos más profundos.

ANA: Yo te escucharé, también, Johnny.

JOHNNY: (*Levantándose, para irse.*) Bueno, mira... Aquí hay mucha gente. ¿Por qué no vamos mejor a mi apartamento?

BERTA: (*Interrumpiendo.*) Un momento. *You really think you know a lot about us* mujeres, *don't you?*

JOHNNY: *Yeah. Well,* eso fue lo que estudie en *high school,* Berta.

BERTA: ¿Cuál escuela?

JOHNNY: *The School of Love, baby.* Así es como supe que Ana estaba en el Grupo A. Dilaté tres meses estudiando antes de tomarle su examen final. ¿Sabes qué, Berta? A lo mejor es verdad lo que dicen de nosotros los *Latin lovers.*

BERTA: Ay, Johnny, esa cosa de los *Latin lovers* es un mito.

JOHNNY: Exacto.

BERTA: Y entonces, ¿qué paso?

JOHNNY: La serpiente hizo que Eva se comiera la manzana, ¿qué no?

Cruzándose con Ana.

ANA: Así es que, ¿éste es tu famoso departamento?

JOHNNY: ¿No te gusta?

ANA: Es que tanto había oído sobre él, que no puedo creer que esté aquí.

JOHNNY: Pues de hoy en adelante vas a ser la única reina de aquí.

ANA: Ay, Johnny, nomás hablas por hablar.

JOHNNY: No. De verdad. ¿Ves esto? (*Juntando su mano con la de ella.*) Una gitana me dijo cómo encontrar a mi alma gemela.

Música romántica de guitarra.

ANA: Tu mano es mucho más grande que la mía.

JOHNNY: Ah, pero nuestras líneas del amor coinciden.

ANA: ¿Crees en todo eso? ¿Crees en verdad que vas a encontrar una mujer que realmente te satisfaga?

JOHNNY: (*Besándola.*) Creo que ya la encontré.

La estrecha entre sus brazos.

ANA: Johnny... no...

JOHNNY: *Why not?*

ANA: Quiero ser especial.

Johnny le desabotona la blusa.

JOHNNY: Eres muy especial para mí, Ana. De verdad. (*Johnny se arrodilla.*) Te adoro.

Las luces empiezan a concentrarse en ellos.

BERTA: (*A don Juan.*) ¿Te parece familiar, don Juan?
DON JUAN: Desgraciadamente.
BERTA: Al principio, la trató como a la Virgen de Guadalupe.
JOHNNY: (*A Ana.*) ¡Te idolatro!

Ana se mete en la cama.

BERTA: Bueno, Johnny, dime, *did Ana change you?*
JOHNNY: Lo hizo, Berta. Lo hizo. Hasta podrías decir que casi "me desvío del curso ciclónico de mi destino".
BERTA: ¿Dónde aprendiste hablar así, Johnny?
JOHNNY: No fui a la universidad, pero no soy un estúpido. Hasta sé algo del lenguaje de Sha-kes-peare.
BERTA: Bueno, pues, sigue con el cuento.
ANA: (*Entrando, abotonándose la blusa.*) Bueno, se acabó. Tuviste lo que quisiste.
JOHNNY: Quiero más que eso, Ann.
ANA: ¿Como qué?
JOHNNY: *Your* alma.
ANA: (*Yéndose.*) Adiós.
JOHNNY: *Come on, baby...* no estás enojada conmigo, ¿verdad?
ANA: Estoy enojada conmigo misma.
JOHNNY: ¿A dónde vas?
ANA: A mi casa. Es tarde. Mis padres estarán preocupados.
JOHNNY: Quédate aquí. Ésta ya es tu casa. Eres una mujer ahora... mi mujer.
ANA: *I don't think so, bato.*
JOHNNY: En serio. Hasta puedes venirte a vivir conmigo... te daré una llave.
ANA: ¿Estás seguro que no perjudico tu estilo?
JOHNNY: Será maravilloso tenerte por aquí, Ann.

ANA: No me tomes el pelo, Johnny. He visto tu clóset repleto de vestidos perfumados, de todas las tallas.

JOHNNY: *I can explain that...* Mi hermana.

ANA: *How many mujeres live here already?*

JOHNNY: No hay mujeres que vivan aquí, Ann. (*Pausa.*) Muy bien. Les diré que se larguen. Lo juro por Dios.

ANA: No jures a Dios, no blasfemes. Además, ¿por qué he de creerte si le has mentido a muchas otras?

JOHNNY: *Listen to me.* Te quiero mucho, mucho, mucho. Y lo digo. Yo nunca le digo eso a ninguna. Generalmente son las viejas las que me dicen eso.

ANA: Oh, ¿y por qué soy tan especial?

JOHNNY: No sé. *You have done something to me, Ann.*

ANA: *And stop calling me Ann.* Mi nombre es Ana.

JOHNNY: Ana, pues. Ana, me has tocado en un lugar indefinido de mi corazón. *When you are not around me,* duele.

ANA: Aunque era verdad, *it's just not going to work. I am only* quince, *and you are* veinte. Mi hermano *will kill you.*

JOHNNY: Ana, ¿conoces la historia de Romeo y Julieta?

ANA: Claro. Vi la película.

JOHNNY: Yo también. Julieta tenía sólo catorce, y ella tenía un pariente que odiaba a Romeo. *Yet, their* amor *survived for all time.*

ANA: *But they both died,* cabrón! No gracias. Me gustas, Johnny, me gustas mucho. Pero tú eres una verdadera plaga para las chicas. *I don't know why I went to sleep with you* —por pendeja.

JOHNNY: Porque así lo quisiste, Ana. Es nuestro destino. Mira, *I used to run around with* las gringas. *They wanted to get down,* tú sabes, *get married and have kids.* Pero no podía. Yo estaba buscando, sin saberlo, una chicana.

ANA: Oh, Johnny.

JOHNNY: *Some of my own* raza.

ANA: No sigas.

JOHNNY: Como tú.

ANA: Quiero creerte tanto.

JOHNNY: Ana, yo haría cualquier cosa por ti.

ANA: ¿Cualquier cosa?

JOHNNY: Sí.

ANA: Entonces, espérame.

JOHNNY: ¿Esperarte?
ANA: Si me quieres, me esperarás a que termine mi *high school. You will wait for me like a real* amigo.
JOHNNY: ¿Amigo? *You mean you don't want to fuck me?*
ANA: ¿Lo ves? Lo sabía. Eso es lo único que te interesa. Te odio.
JOHNNY: Bueno. Bueno. Todo lo haremos a tu manera.
ANA: No te lo creo. Ni una palabra.
JOHNNY: (*Abrazándola.*) Te juro, te juro. *Just give me a chance.* Lo haré por ti. (*Besándola.*)
ANA: ¿De veras, Johnny? *You promise?*

Johnny mueve su cabeza afirmativamente. Un largo y apasionado beso entre los dos.

BERTA: ¿Cuánto tiempo fueron amigos, Johnny?
JOHNNY: Suficiente. Suficiente.

En otra parte del escenario, Ana se enfrenta a Louie.

ANA: No me vas a decir a quién ver y a quién no ver.
LOUIE: A nadie como él, Ana. Él es veneno.
ANA: Es mi amigo. *My best friend.*
LOUIE: *He's a son of a bitch.*
ANA: No hables así de él.
LOUIE: Sólo estoy tratando de *watcharte. I know him very well.*
ANA: Así como te conoces tú, señor hipócrita. Ya se te conoce, *big brother —find them, fuck them, and forget them—.*
LOUIE: O.K. Eso era antes. Tú sabes que ahora me caso con Inés. Claro, así era yo, pero uno tiene que crecer. Pero Johnny nunca va a ser hombre.
ANA: Si tú puedes hacerlo, ¿por qué no Johnny? Louie, todos estamos muy orgullosos de ti, porque vas a la escuela nocturna, y porque trabajas durante el día. Y ahora te casas con una magnífica muchacha. Pero tienes que dejarme vivir mi vida. *I am sixteen years old now...* No soy una escuincla.
LOUIE: Pero tú no entiendes a este tipo. Créeme lo que te di-

go. Él es un gusano, una víbora, un vampiro. Te va a chupar la sangre y te dejará seca. Si lo veo contigo, lo mato... *I'll kill him!*

Louie sale de escena.

ANA: (*Yendo hacia Johnny. Acariciándolo.*) No me importa lo que la gente diga. Te quiero. *I love you with all my* corazón.

JOHNNY: No te engañaré, Ana. Lo que me has dicho ha cambiado mi forma de pensar. *I'm going to talk to your* padres *and ask for your hand in marriage.*

ANA: *Yeah, I have to finish school, find a career.*

JOHNNY: No te preocupes. Yo te meteré a la universidad. Voy a cambiar. Nada de tráfico ni venta de drogas. Voy a conseguirme un trabajo decente.

ANA: Johnny, yo sé que lo puedes hacer.

JOHNNY: Sí, ya es hora de que deje de actuar como un muchacho del *jet set* para empezar a ser un hombre.

ANA: (*Sacando un collar con una cruz.*) Johnny, te doy esta cruz que las monjas me dieron en mi Primera Santa Comunión.

JOHNNY: No. No puedo aceptarlo. De verdad.

ANA: *Please, I want you to have it.* Cuando tengas un problema, piensa en mí. Te dará fortaleza.

JOHNNY: (*Tomando el collar con renuencia.*) Sí, voy a necesitar mucha ayuda.

ANA: ¿Qué quieres decir?

JOHNNY: Bueno, antes de empezar mi nueva vida voy a tener que pagar todas mis deudas. Yo le debo a mucha gente *lots of* lana.

ANA: Bueno, pues, ellos tienen que esperar.

JOHNNY: No entiendes, Ana. Esta gente no puede esperar. Si no les pagas ahora, te rompen el hocico.

ANA: No te preocupes, Johnny. Encontraremos una solución. Mi cruz nunca falla... *my cross never fails.*

Ana sale de escena. Johnny camina hacia la barra, jugando con el collar.

BERTA: Eso fue hace dos años. ¿Y Ana, terminó la *high school?*
JOHNNY: No. Tuvo que salirse ... para trabajar.
BERTA: Y la universidad.... ¿Y su carrera?
JOHNNY: *Why are you asking me these questions?*
BERTA: ¿La dejaste embarazada?
JOHNNY: Sí. Eso es lo que ella quería.
BERTA: *Of course.* Nunca te casaste con ella.

Berta le quita el collar a Johnny y lo coloca reverencialmente en el altar.

JOHNNY: No. Pero estábamos viviendo juntos... ¿No es eso la misma porquería?
DON JUAN: (*Explotando de repente en un acceso de ira.*) No puedo escucharte, vil Johnny, porque recelo que hay algún rayo en el cielo preparado para aniquilarte.
JOHNNY: *What you say,* viejo?
DON JUAN: No pudiendo creer lo que de ti me decían; confiando en que mentían, vine esta noche a verte. Sigue pues, con ciego afán en tu torpe frenesí; mas nunca vuelvas a mí. No te conozco, Johnny.
JOHNNY: (*Acercándose a Don Juan.*) Qué demonios me importa lo que tú pienses.
DON JUAN: Adiós, pues. Mas no te olvides que hay un Dios justiciero.
JOHNNY: (*Interrumpiendo a Don Juan.*) ¡Un momento!
DON JUAN: ¿Qué quieres?
JOHNNY: ¿Quién eres? Quítate la máscara.
DON JUAN: (*Empujándolo.*) No, en vano me lo pides.
JOHNNY: (*Quitándole la máscara.*) Enséñanos tu cara.
DON JUAN: Villano
JOHNNY: ¡Papá!
BERTA: *That's right,* Johnny. Es tu padre. No lo has visto en años. Desde que te fuiste de tu casa y te metiste en el mal camino.

Flautas y tambores. Flashback en cámara lenta. Johnny se vuelve un niño de siete años. Don Juan se torna un hombre joven.

BERTA: ¿Cómo era todo cuando eras chico, Johnny?
JOHNNY: Papá, no quiero ir a la escuela.
DON JUAN: Pero, hijo... tienes que ir.
JOHNNY: Papá... Todos los bolillos hacen *fun* de mí.
DON JUAN: ¿Cómo que hacen *fun* de ti?
JOHNNY: Durante el *lonche,* todos ellos comen sanwiches. Cuando saco mis tacos, se empiezan a reír.
DON JUAN: No les hagas caso.
JOHNNY: Y un día mi *paper bag* estaba *greasy* y me llamaron *greaser.*
DON JUAN: *Greaser?* ¿Como grasoso? Bueno, desde mañana puedes llevar sanwiches.
JOHNNY: O.K. Qué suave. (*Pensándolo bien.*) ¿Sabes, qué? Mejor no. No me gustan los sanwiches de frijol, ni mucho menos los de chorizo.
DON JUAN: Bueno, ya apúrate, que se está haciendo tarde.
JOHNNY: No quiero ir, papá. Hacen *fun* de mí. Especialmente la *tee-cher.*
DON JUAN: La *tee-shirt*? ¿La camiseta?
JOHNNY: No, la *tee-shirt*, la *tee-cher Mrs. Blaha.*
DON JUAN: (*Riéndose.*) La maestra. La señora Blaha. ¿Qué te dijo?
JOHNNY: Después del recreo, me dijo: "Yonny, *washe you hans* porque *dey dorty*". Y me las lavé y entonces me hizo *show them in front of everybody.*
DON JUAN: ¿Y qué?
JOHNNY: Dijo: *"Well, Yonny, you hans so braun I can not tell if they clean or no".*
DON JUAN: ¿Qué te dijo: "Johnny, tus manos están tan cafés que no puedo decir si están limpias o no?
JOHNNY: Sí, algo así.
DON JUAN: Me lleva la...
JOHNNY: Y un día la *tee-cher* me llamo un *bad* nombre. Me llamo un *Spic.*
DON JUAN: Vieja... ¡Conque te llamo *Spic!*
JOHNNY: Sí. Dijo: *"Yonny, you no-no how to spic good English.*
DON JUAN: Ay, mi hijo. Por eso tienes que ir a la escuela. Tu mamacita, que en paz descanse, y yo, no pudimos ir. ¿No ves cómo tienes problemas con el Inglich?
JOHNNY: A mí no me importa. No quiero hablar el *English.*

DON JUAN: No, eso no. Me lo vas a aprender a huevo. Mira nomás. Estoy trabajando como un burro para que puedas educarte.

JOHNNY: *I don't care.* Trabajo como burro yo también.

DON JUAN: No, señor. Un hijo mío nunca se raja.

JOHNNY: Pero el Gregy Weiner me quiere *beat up.* Mira, *he hit me right here.* (*Entra en escena Louie, con una peluca rubia.*) *Can I play with you?*

GREGY: *No, you can't even speak English, beaner.*

JOHNNY: *Don you call me dat.*

GREGY: *What are you doing to do about it, beaner. Brown like a bean. Free-hole! Chile-dipper!*

JOHNNY: *I don't like chile, I like ketchup*

GREGY: (*Golpeando a Johnny.*) Chile dipper! Chile dipper!

DON JUAN: (*Mientras Johnny llora.*) ¿Te pegó y no le diste lo suyo? Ve y dale en la madre.

JOHNNY: Pero, *he's bigger than me.*

DON JUAN: Ya te lo dije. Un hijo mío no se raja. Pégale. Si no, yo te pego a ti.

GREGY: *Spic! Graser! Wetback!*

JOHNNY: (*Embistiendo, golpeando con sus puños, logra un golpe afortunado en pleno Gregy.*) ¡Gringo! ¡Gabacho! *¡Redneck!*

GREGY: *Teacher! Teacher!*

Corriendo hacia afuera.

DON JUAN: Ahora sí eres macho. Por qué lloras. Sólo las mujeres y los jotos lloran. Johnny, tuviste que aprender cómo ser hombre. Ahora, dime, ¿qué dijiste que querías ser cuando seas grande?

JOHNNY: Un astronauta, papá.

DON JUAN: Ya ves, el primer astronauta chicano. Por eso tienes que ir a la escuela. Vas a ser el primer astronauta que coma tacos en el espacio.

JOHNNY: *Wow.* Tacos *in outer space!*

DON JUAN: Y mira qué tengo para mi astronauta.

Le da a Johnny una nueva lonchera.

JOHNNY: Oh, *boy*, papá. Un *Star Wars lunch pail.* (*Don Juan se aleja de Johnny. Termina flashback.*) ¿Papá? ¿Papá? ¿Papá?

DON JUAN: (*Como el hombre viejo.*) Mientes, no lo fui jamás.

JOHNNY: Entonces...*Go to hell!*

DON JUAN: Hijos como tú son hijos de Satanás.

JOHNNY: *Fuck you!*

DON JUAN: Johnny, en brazos del vicio desolado te abandono. Me matas, mas te perdono. Que Dios es el Santo Juicio.

Sale. Johnny se desploma sobre sus rodillas. Inclina su cabeza. Abraza su lonchera. Berta trata de consolarlo.

BERTA: Riqui-rrán. Riqui-rrán. Los maderos de San Juan. Piden pan, no les dan. Piden queso, les dan un hueso, y se les atora en el pescuezo.(*Pausa.*) *Did you love your* papá, Johnny?

JOHNNY: Creo que sí. Pero así es la vida.

BERTA: ¿Sabes que ustedes son muy parecidos?

Berta toma la lonchera y la coloca reverencialmente en el altar.

JOHNNY: ¿Qué estas haciendo?

BERTA: Nada, Johnny. Sólo acomodo las piezas.

JOHNNY: Estás jugando algo chueco, ¿no es así?

BERTA: No es un juego, es la realidad.

JOHNNY: ¿Por qué metiste a mi padre en esto?

BERTA: Tu padre te crió. Y se encargó de ti después de que tu madre murió, ¿verdad?

JOHNNY: No necesité de él, no necesité de nadie.

BERTA: Nunca lo conociste. Así como nunca conociste a tu madre.

JOHNNY: Tú sabes que mi madre murió cuando nací.

BERTA: Era una mujer muy hermosa.

JOHNNY: De allí saqué mi buen parecido.

BERTA: Yo la conocí. Y, ¿sabes qué? Se parecía a Ana.

Flautas y tambores. Entra a escena Ana, embarazada. Hace el papel de la mamá de Johnny.

JOHNNY: Mamá...
BERTA: Estaba embarazada de ti. Tu papá recién había llegado de la ciudad de México, con su sobrina, María.

Entra a escena don Juan, haciéndola de hombre joven.

MAMÁ: ¿Está tu sobrina instalada en la recámara de visitas?
DON JUAN: Sí, no te preocupes por ella. En Mexicalpan de Las Tunas vivía amontonada en un cuarto, con sus tres hermanas.
MAMÁ: Es muy bonita.
DON JUAN: Sí. Alguien se la va a robar uno de estos días. ¿Cómo te sientes, querida?
MAMÁ: Yo creo que va ser macho. Patea como un pequeño toro.
DON JUAN: Un torito. Le pondremos Juan, como yo, como mi padre.
MAMÁ: Johnny.
DON JUAN: ¡Juan! Mi hijo no va a ser gringo. Ojalá que salga como mi papá. Alto y güero, con ojos verdes. Todas las mujeres estaban locas por él.
MAMÁ: ¿Era tu mamá celosa?
DON JUAN: ¿Qué podía decir? Los hombres-hombres, el trigo-trigo.
MAMÁ: Ay, sí.
DON JUAN: Tuvo tres mujeres, aparte de mi madre. Tengo hermanos por donde quiera.
MAMÁ: Qué horrible.
DON JUAN: Pero nunca se casó con otra. Oh, no, mi madre era su único amor.
MAMÁ: No quiero ponerle a mi hijo nombre de mujeriego.
DON JUAN: Mujer, mis padres duraron casados cincuenta años.
MAMÁ: Eso no quiere decir que tu madre no haya sufrido.
DON JUAN: Mamá adoraba a mi padre, tanto como él la adoraba.
MAMÁ: Y si es una niña, ¿cómo le pondremos?
DON JUAN: Juana.

MAMÁ: No. Vamos a llamarle como una flor: Rosa, Iris o Azalea.

DON JUAN: No, no, no. Las flores se recogen con demasiada facilidad. Mejor Rosario, Dolores o Concepción... o María, como mi sobrina.

MAMÁ: ¿Por qué.

DON JUAN: Porque una hembra debe ser santa o ángel.

MAMÁ: Los hombres no deben esperar que actuemos como la virgen, mientras que ustedes salen y hacen lo que quieren.

DON JUAN: Esas ideas te las metieron los gringos. Eso es lo que no me gusta de este país.

MAMÁ: ¿A poco estamos más liberados que el Viejo Continente? Mira, Juan, ¿qué harías si encontraras a tu hija durmiendo con alguien?

DON JUAN: Como dicen los pochos: *I break her neck.*

MAMÁ: ¿Ves cómo son ustedes?

JOHNNY: (*A Berta.*) ¿Y por qué me estás enseñando todo esto?

BERTA: Para que aprendas, Johnny. (*Berta hace un pase de magia y cambia el tono de la escena.*) Y mira qué paso unos días después.

MAMÁ: (*Enojada.*) ¿Qué haces en el cuarto de tu sobrina?

DON JUAN: (*Abrochándose el cinturón.*) Nada, querida, nomás quería saber si estaba bien.

MAMÁ: (*Aparentemente dirigiéndose a Johnny.*) Mentiroso. Ahora sé a donde vas de noche.

JOHNNY: ¡Yo no hice nada!

DON JUAN: Te lo juro por Diosito Santo.

MAMÁ: (*A los dos hombres.*) Tu sobrina, *your own nice.* ¿Cómo pudiste?

DON JUAN: No es mi sobrina.

JOHNNY: Entonces, ¿qué era?

BERTA: María era la amante de tu padre, *his lover.*

MAMÁ: (*Doliéndose.*) ¡Ay, Dios mío!

BERTA: Además, ya se había casado con ella en México.

DON JUAN: Mi amor... Querida... ¿Qué pasa?

JOHNNY: (*A don Juan.*) *Don't just stand there! Get a doctor.* (*Johnny se acerca a su mamá.*) Mamá, mamacita. *Please don't die.*

MAMÁ: Promete que nunca me traicionarás.

JOHNNY: *I swear.* Juro por Diosito Santo.

Don Juan y Mamá salen de escena.

BERTA: Murió un poco después de haberte dado la vida.
JOHNNY: ¡Mamá!
BERTA: De un corazón roto.
JOHNNY: ¿Por qué lo hizo? ¿Por qué?
BERTA: Tu padre pagó por ello. Dejó de ser un don Juan. Por eso nunca se volvió a casar.
JOHNNY: ¿Por qué nunca me lo dijo?
BERTA: No quiso que siguieras sus pasos.
JOHNNY: *Oh, my God.* Ahora lo veo todo.
BERTA: ¿Qué, Johnny?
JOHNNY: *The curse.*
BERTA: ¿La maldición? ¿Noto arrepentimiento en tu voz?
JOHNNY: (*Gritando.*) *Hell no!*
BERTA: ¿No? (*Berta empieza a encender las velas del altar. El incienso se consume.*) Quizás entonces tu deseo se haga realidad.
JOHNNY: ¿Qué dices?
BERTA: Tu deseo de muerte.
JOHNNY: ¿De qué hablas?
BERTA: Vida después de la muerte. La inmortalidad. He encendido estas velas para mostrarte una visión. ¿Ves con qué intensidad se consume? Huele a copal, el mismo que usaban nuestros ancestros en sus sagrados ritos. Ruega, Johnny, ruega a la Virgen de Guadalupe, Nuestra Señora Tonantzin.
JOHNNY: Mis ojos...
BERTA: Pronto vas a ver. Ahora esperaremos a que las almas regresen. Vendrán para escuchar las últimas palabras.
JOHNNY: *I don't want to hear it,* Berta. Nunca nadie se ocupó de mí, ni mi padre, ni Ana, nadie!
BERTA: (*Sirviéndole comida y bebida.*) Cálmate. Siéntate. Mira, te hice tu comida favorita: tamales y atole. Come. Los otros están por llegar.
JOHNNY: Muy bien. Así está mejor. Asegúrense de invitar a Louie. Pero dudo que la comida se le quede en su estomago. Lo digo por los tantos agujeros que tiene...

BERTA: No debes burlarte de los muertos, Johnny.

JOHNNY: *Hey, Louie. I'm calling you, man.* Berta *made some* ricos tamales y *hot* atole. Apúrate, antes de que me lo vaya a comer todo.

Johnny se atraganta y no se da cuenta que aparece Louie, llevando una máscara.

BERTA: Ah, Louie. Ahí estás. Te traigo un plato. *You boys have such big* apetitos. Hay que calentar más tamales.

Berta sale de escena.

JOHNNY: (*Comiendo todavía.*) *Yeah, Louie, sit down and...* (*Descubriéndole.*) Oh. Otra apariencia, ¿eh? *What's with the costume,* jugando todavía al *trick or treat?*

LOUIE: Te dije que no te acercaras a Ana.

JOHNNY: (*Sacando una pistola.*) Chíngate, cabrón. *Nobody tells me what to do.* (*Johnny le dispara a la cabeza.*) Te dije que no te metieras conmigo. (*Louie no se desvanece y camina hacia Johnny.*) Jesucristo.

LOUIE: Acuérdate, *I am already* muerto. ¿Qué te pasa, Johnny? ¿Tienes miedo? ¿Tú, el mero chingón? (*Agarrando a Johnny del cuello.*)

JOHNNY: Ay. Déjame. *Let me go!*

LOUIE: No me digas que sientes la presencia de la muerte.

JOHNNY: Aléjate de mí.

LOUIE: (*Jalándolo del cabello.*) Ven. Ven. Que ésta va a ser tu última cena.

Empujándole el rostro hacia el plato, forzándolo a comer.

JOHNNY: ¿Qué es esta porquería?

LOUIE: Tamales de ceniza.

JOHNNY: *Ashes!*

LOUIE: (*Forzándolo a beber.*) ¡Ahora toma esto: atole de fuego!

JOHNNY: *Fire! Why do you make me eat this?*

LOUIE: Te doy lo que tú serás.

JOHNNY: ¿Fuego y cenizas?

LOUIE: Morderás el polvo.

JOHNNY: ¡No!
LOUIE: Ya se va terminando tu existencia y es tiempo de pronunciar tu sentencia.
JOHNNY: ¡No me digas que mi tiempo se acabó!
LOUIE: Faltan cinco para las doce. A la media noche no se te conoce. Y aquí vienen conmigo los que tu eterno castigo de Dios reclamando están.

Entran Ana y don Juan, llevando máscaras de calavera. Impiden que Johnny escape.

JOHNNY: Ann!
ANA: Sí, soy yo.
JOHNNY: ¿Papá?
DON JUAN: Sí, mi hijo.
JOHNNY: (*Tratando de brincar detrás de la barra. Entra Berta vestida como La Catrina.*) Berta...
BERTA: No hay escape, Johnny. *You must face them.*
JOHNNY: ¿Tú también?
BERTA: Yo no estoy aquí para juzgarte...
DON JUAN: Un punto de contrición da a un alma la salvación y ese punto aún no te lo dan.
LOUIE: Imposible borrar en un momento veinte años malditos de crímenes y delitos.
JOHNNY: Berta. ¿De veras me salvaré si me arrepiento?
BERTA: Yes, pero sólo si una de tus víctimas te perdona en este Día de Muertos.
JOHNNY: Entonces perdónenme ustedes, yo no quiero morir. Deseo pedirles disculpas a todos los que hice sufrir.
LOUIE: Empezaremos conmigo, que soy el más ofendido. ¿Por qué me acuchillaste? ¿Por qué te me echaste encima?
JOHNNY: No hay excusas. Fue una pelea entre hombres. Quisiste ser como yo, Louie. Pero, perdiste y ése es el precio que tuviste que pagar.
LOUIE: ¿Ven? No tiene excusa. Que se le aparezca la lechuza. Si de mi piel hizo carnicería, el también será calavera.

El ambiente de esta última escena corresponde a una

corrida de toros. Johnny es el toro y los demás juegan con la capa, la puya y las banderillas.

BERTA: ¿Quién sigue?
ANA: (*Está vestida como una prostituta.*) Yo.
JOHNNY: Ana. Tu no quieres verme muerto. Piensa en nuestros hijos.
ANA: Estoy pensando en ellos. Me gustaría que no te conocieran. De otra manera serían iguales a ti.
JOHNNY: No, no, no. Juro por Diosito Santo que cambiaré.
BERTA: ¿Te arrepientes?
JOHNNY: Sí. Prometo regresarme a la casa y ser un buen padre y fiel esposo.
ANA: Mentiras. Ya escuché eso antes. El suguirá persiguiendo mujeres y bebiendo en la primera oportunidad.
JOHNNY: Ana. ¿No te das cuenta? Tengo que cambiar. Mi vida depende de ello.
ANA: *No, Johnny, you're addicted to your* vicios. Y contaminas a cualquiera. Yo te di todo mi amor y tú me prostituiste.
JOHNNY: *But the* mafiosos *were going to kill me.* Tú estuviste de acuerdo. Yo no te forcé.
ANA: Jugaste conmigo. Como con las otras.
JOHNNY: Pero, Ana, ¿no te das cuenta? Es una maldición transmitida de generación a generación. Yo soy una víctima. Tú eres una víctima. Todos somos víctimas.
ANA: Eso es, señala a todos, menos a ti.
JOHNNY: Ana, cariño, piénsalo bien. Trataste de controlarme, quisiste canalizar mi energía.
ANA: Yo quise tener una familia.
JOHNNY: ¡Pero yo no soy un esposo! ¡Soy un cazador!
ANA: (*Hacia él, vengativamente.*) Si mi corazón murió en esa carrera, el burlador también será calavera.
BERTA: ¿Alguien más? El tiempo se acaba.
JOHNNY: Papá. ¿Cómo puedes pararte ahí, sin decir nada, después de todo lo que has hecho?
DON JUAN: Ya lo sé, y me arrepentiré hasta mis últimos días. Después de que murió tu madre, traté de encaminarte hacia una vida mejor. Fracasé. Seguiste la vida chueca.
JOHNNY: Hipócrita.

DON JUAN: Juan, dile a Dios que te perdone, como él me perdonó.

JOHNNY: *You want me to ask* Dios *for* perdón?

DON JUAN: Es lo único que tienes que hacer.

BERTA: Vamos, Johnny, pide perdón.

JOHNNY: Pero yo no creo en Dios.

DON JUAN: Entonces estás perdido.

Johnny se arrodilla. A la distancia se escuchan campanas.

BERTA: Johnny, Johnny, ¿no sabes lo que está pasando, verdad?

JOHNNY: Berta, ¿me perdonas?

Arrojándose a sus pies. Arrastrándose, tratando de regresar al vientre materno.

BERTA: Johnny, tú nunca me has ofendido realmente.

JOHNNY: *I trusted you,* Berta. *I told you everything.*

BERTA: Así es, mi hijo. Yo te escuché y te entendí. Al cabo, *I am the eater of sins,* la que se traga los pecados.

JOHNNY: Oh, Berta, tú eres la única mujer que de veras he amado. (*Volteando a los otros esqueletos, que han permanecido inmóviles.*) ¿Ya ven? Alguien me quiere. (*A Berta.*) ¿Quiere esto decir que estoy salvado? ¿Quiere decir que no voy a morir?

BERTA: No, Johnny. No te burlaste de la muerte. *You are already dead.*

JOHNNY: ¿De qué hablas?

BERTA: Del gringo que te descubrió durmiendo con su esposa.

JOHNNY: *I killed him.*

BERTA: Sí, pero él te hirió mortalmente. Has estado muerto por mucho tiempo.

JOHNNY: Pero, ¿cómo?

BERTA: Tu espíritu, tan violento, no descansaba. Y como éste es el Día de Muertos, cuando por la noche regresan las almas, tú regresaste a tus viejas guaridas.

JOHNNY: *But —touch me, feel me— I am alive!*

BERTA: Vives solamente en nuestras memorias, Johnny. Te

estamos recordando en una celebración... de la muerte.

JOHNNY: (*Empezando a comprender.*) Oh... no.

BERTA: ¿Oyes las campanas, Johnny? (*Se oyen unas campanas.*) ¿Escuchas a las mujeres rezar los rosarios? (*Mujeres rezan.*) ¿Ves a los hombres cavando una fosa? (*Apunta fuera de escena.*) Es tu tumba, Johnny.

JOHNNY: ¿He estado muerto todo este tiempo?

BERTA: Así es, Johnny. Todos estamos muertos.

JOHNNY: ¿Cómo puede ser eso?

BERTA: Hay más de una forma de morir. Apuñalaste de muerte a Louie, pero fracturaste el corazón de Ana.

JOHNNY: ¿Y mi padre?

BERTA: Su fe murió en ti.

JOHNNY: ¿Y tú, Berta?

BERTA: Ah, yo no soy de la muerte, ni de la vida. Yo soy, y después seré. Ven Johnny. (*Flautas y tambores. El altar se ilumina.*) Mira, éste es tu altar. (*Berta, ceremoniosamente lo lleva hasta el altar. Johnny se sube. Todo parece una pirámide azteca.*) Mira. (*Sosteniendo una máscara de calavera.*) ¡Aquí está tu máscara!

Colocándole la máscara.

JOHNNY: ¿Soy uno de ellos? ¿Soy uno de los muertos en vida?

BERTA: (*Un caracol suena tres veces.*) Prepárate, Johnny. Prepárate para la inmortalidad.

JOHNNY: ¡Estoy muerto!

Johnny grita. Levanta sus brazos hacia los cielos.

BERTA: Aquí está Johnny Tenorio, el don Juan. Desde tiempos inmemoriales una espina en el alma de la raza. Ha traicionado mujeres, asesinado hombres, y causado gran dolor. ¡Por eso decimos, que muera!

CORO: (*Las calaveras.*) ¡Que muera!

BERTA: Pero también estuvo solo, desafiando todas las reglas, peleando lo mejor que pudo. Su corazón late con viveza dentro de todos nosotros. Los hombres que quieren ser como él, las mujeres que lo codician. Es nuestro amante, hermano, padre e hijo. ¡Por eso decimos, que viva!

CORO: Que viva!

JOHNNY: (*Después de varias pausas, Johnny brinca desde el altar hacia abajo.*) Pues, entonces, *liven up. Let's party!* (*Los otros esqueletos se escandalizan.*) Vamos a divertirnos. ¡Al cabo tenemos toda la noche!

Atrapa a Ana y baila con ella.

BERTA: ¡Espérate hasta mañana!

Las calaveras hacen parejas, echan "Ajúas" y gritos.

CORRIDO: Creció la milpa con la lluvia en el potrero,
y las palomas van volando al pedregal;
bonitos toros llevan hoy al matadero;
qué buen caballo va montando el caporal.

Y las campanas de San Juan están doblando;
todos los fieles se dirigen a rezar;
y por el cerro los rancheros van bajando
a un hombre muerto que lo llevan a enterrar.

En una choza muy humilde llora un niño,
y las mujeres se aconsejan y se van;
sólo su madre lo consuela con cariño,
mirando al cielo llora y reza por su Juan.

Aquí termino de cantar este corrido
de Juan ranchero, charrasqueado y burlador,
que se creyó de las mujeres consentido,
y fue borracho, parrandero y jugador.

Oscuro, al momento que termina el corrido.

Johnny Tenorio se estrenó en Guanajuato en el Festival Internacional Cervantino en 1989, con el siguiente reparto:

JOHNNY TENORIO:	Emilio Omar
BIG BERTA:	Jacqueline Bribesca
DON JUÁN:	Víctor López
LONIE MEJÍA:	Mario Méndez
ANA MEJÍA:	Aracelia Guerrero
PARROQUIANO 1:	Miguel Ángel Morales
PARROQUIANO 2:	Gerardo Penagos
PARROQUIANO 3:	Jesús Perulles
MUJER:	Margarita González

ESCENOGRAFÍA:	José de Santiago
ILUMINACIÓN:	Cuauhtémoc Salas
DISEÑO DE VESTUARIO:	Patricia Eguía
TRADUCCIÓN:	Eduardo Rodríguez Solís
ASISTENTE DE DIRECCIÓN:	Cuauhtémoc Salas
ASISTENTE DE PRODUCCIÓN:	Edid Negrete

DIRECCIÓN:	Juan Morán

Las fotografías que acompañan a esta obra son de Fernando Moguel.

El Jardín

Traducción de Manuel Martín Jr.

Personajes

DIOS
(Que también interpreta a Cristóbal Colón.)

ADÁN
(Que también interpreta a Taíno.)

EVA

LA SERPIENTE
(Que también interpreta a Matón, Padre Ladrón y Muerte.)

Escenas

El Paraíso, El Cielo y La Tierra

DIOS: Sí soy la voz de Dios.
Dios, sí soy la voz.
Con mis hijos vengo hablando
desde que Adán se creó.

¿Recuerdo cómo era
sin tierra, cielo y mar?
Todo era sereno,
decidí comenzar.

Las bestias puse en la tierra,
los peces en el mar,
los pájaros al aire,
al hombre, pues, debí crear.

Su nombre era Adán
y vivía en El Jardín.
Su mujer llamada Eva,
¡qué coqueta era ella!

Aquí nadie es perfecto hasta el fin.

CORO: ¿Se acuerdan? ¿Se acuerdan?

ADÁN: (*En el Jardín.*) Eva, Eva. Así que has hablado con esa serpiente otra vez, ¿eh?
EVA: Sí pues, ¡y qué!
ADÁN: Debería darte vergüenza.
EVA: Oh, él no es tan malo.

ADÁN: No seas tan tonta, ¡él es un maloso!

EVA: ¡Pero tiene un cuerpo tan padre! ¡Y tan pegajossss-soooo!

ADÁN: Dios mío, mujer, ¿tú no sabes que se debe juzgar a una persona por su espíritu.

EVA: Bueno, yo, la verdad me gusta más la carne.

ADÁN: Mira lo que te voy a decir, mujer. Si yo agarro a esa serpiente por aquí ... ¡la voy a ahorcar!

EVA: Oh, me encanta como se desliza y se arrastra por el piso... ¡Es tan maldito!

ADÁN: ¿Cómo puedes ser tan pendeja? ¿No te das cuenta que te está tentando?

EVA: Me va a enseñar acerca de la vida.

ADÁN: ¡Eva, tú andas buscando que nos boten del Jardín!

EVA: Y qué, me tienes hasta el copete con toda esa retórica del jefe. Mira nomás, tigres domesticados y esos desgraciados corderitos. Me siento como si estuviera en un zoológico. Quiero un poco de acción. Quiero gozar, papito. ¿Por qué nunca me sacas a bailar?

ADÁN: ¡Espera un minuto! Nosotros no somos prisioneros aquí. Podemos irnos cuando queramos y hacer lo que nos dé la gana. Dios ha sido bueno con nosotros y bajo ninguna circunstancia quiero ofenderlo.

EVA: Oh, deja que nos bote. ¡Vamos a ver si puede encontrar a otros dos idiotas que nos remplacen!

ADÁN: ¿Qué te pasa mujer? ¿Te quieres ir del Jardín?

No pagas renta; el aire limpio;
Dios nos cuida, es muy simple.
Aquí no hay ricos, tampoco pobres.
No existe el dólar, ni dolores.

Tengo paz, tengo amor.
Tengo un Dios, eso es lo mejor.

Aquí está el sol, enfrente el mar.
En armonía, a todo dar.
Tenemos cielo, aquí hay fe.
Somos hermanos, y esto
nos crearon para amar.

Es para el bienestar.
Muy perfecto como lo hizo
en el centro del paraíso

EVA: ¡Ya te das cuenta, ante él somos como los gusanos!

ADÁN: ¡O las ballenas! ¡Ante los ojos de Dios todos somos iguales!

EVA: Toda esa tontería acerca de la igualdad y la justicia es como un salmo viejo y cansado. Mira, bato, si tuviéramos, libertad en esta jaula podrías entrar y salir a nuestro gusto! ¿Por qué no podemos ir a un lugar como... Disneylandia?

ADÁN: ¡Eva, yo no quiero ir a ninguna parte! A mí me gusta este lugar.

EVA: ¡Pero yo estoy muy aburrida! ¡Me siento estancada!

ADÁN: Eva, no seas loca...

EVA: Me paso todo el santo día oyendo los pajaritos cantar "pio, pio, pio" y los corderos berrear "be, be, be". Yo quiero hacer algo, irme de compras al *mall* o algo. ¡Mírame, estoy desnuda, no tengo vestido!

ADÁN: Ahora sí que te estás volviendo loca! ¿Para qué quieres ropa? Estás bella así.

EVA: Quizás si tuviera algunas joyas, o un lindo sombrero. ¿De veras piensas que soy linda?

ADÁN: Mírate en esta lagunita... acércate. Contempla tu imagen en el espejo líquido... tu piel bronceada... tu pelo largo, negro.

EVA: Sí, soy bonita ¿verdad?

ADÁN: Eres la mujer más bella del mundo.

EVA: ¡Por supuesto! Soy la única en el mundo. ¡No trates de adularme!

ADÁN: Mi querida Eva, piensa que tú eres la única, la perfecta, Su creación.

DIOS: (*Voz que viene de las alturas.*) ¡Hola! ¡Hola! ¿Qué está pasando allá abajo?

ADÁN: Nada, jefe, nomás estábamos conversando.

DIOS: Parecía que estaban gritando. Sonaba como disonancia.

ADÁN: No señor, sólo estábamos repasando nuestra teología.

DIOS: Bien... ¿Quisieran clarificar algunos puntos?

ADÁN: No, señor... lo sabemos todo muy bien.
DIOS: Perfecto. "En el principio..." (*La voz desaparece.*)
EVA: "En el Principio, no había nada." ¿Qué quiere decir eso?
ADÁN: Exactamente lo que dice. Antes de Él no había nada, entonces Él vino y hubo todo.
EVA: ¿Pero de dónde salió Él?
ADÁN: Siempre estuvo aquí y siempre estará.
EVA: Eso no tiene sentido.
ADÁN: Simplemente, es la palabra de Dios.
EVA: ¿Pero qué demonios significa?
ADÁN: ¡No hables así!
EVA: ¡No hay libertad de expresión en el Jardín!
ADÁN: ¡Cállate! ¡No digas más!
EVA: ¿Por qué no puedo comer esa fruta?
ADÁN: ¡Cierra esa boca!
EVA: ¡Me estoy muriendo de hambre! ¿Por qué no puedo comer unas "fajitas"? Hasta me conformaría con un Big Mac y unas papas fritas. ¡O quizás un margarita!
ADÁN: ¡La serpiente te prometió todo eso!
EVA: Dijo que podía empezar con el postre... una ensalada de fruta.
ADÁN: ¡No te acerques a ese árbol!
EVA: ¡Qué ley tan estúpida!
ADÁN: Eva, ésa es la única ley que Él ha impuesto. Si Él no quiere que comamos del fruto del árbol prohibido, no tengo que averiguar por qué.
EVA: ¡No te das cuenta! ¡Él es el gran ranchero y nosotros sus peones!
ADÁN: Te lo repito por última vez. Siente gran satisfacción viviendo en paz con los animalitos. No tengo el menor deseo de comérmelos o de usar sus pieles. ¿Qué te pasa? ¿Ya no me quieres?
EVA: Sí, te quiero, te quiero mucho. Pero es un amor como entre hermanos. ¡Quisiera amarte más, quiero quererte todo!
ADÁN: (*Persignándose.*) ¡Ay, Dios mío! En el nombre del Padre, del Hijo y del Espíritu Santo...
EVA: ¿Por qué te da vergüenza?
ADÁN: Me haces pensar... ¡cochinadas!

EVA: Hmmmmmm. Cuéntamelas. Quiero oír todos los detallitos.

ADÁN: No, es hora de mi catecismo. ¡Ahí te *watcho!* (*Adán sale corriendo cubriéndose sus partes privadas.*)

EVA: ¡No te vayas, quédate con tu mamasota!

Por qué no puede ser,
por qué no puedo ver
más allá del Jardín

Claro, es tranquilo:
alondras cantan,
la lluvia cae
sólo sobre lo seco,
sólo sobre los huertos.
Aquí no hay muertos.

Dormimos tarde.
Los angelitos
sirven de guardias
a nuestro sueño.

Pero quiero mucho más,
más que bienestar
y seguridad.
Quiero bailar, quiero cantar.
Quiero saltar, quiero volar.

Pero más que marcharme, lo sé.
Pero más que marcharme, lo sé.
Quiero bailar, quiero cantar.
Quiero saltar, quiero volar.

Pero más que marcharme, lo sé.
Pero más que marcharme, lo sé.
Más importante, quiero saber.

SERPIENTE: (*Entra acompañada del sonido de flautas y tambores.*) ¡Órale!

EVA: ¡Ayyyyy, un monstruo!

SERPIENTE: ¡Qué monstruo ni qué mi abuela! ¿No puedes apreciar mi estilo? Soy Coco Roco, Azteca hasta mis huaraches de cocodrilo.

EVA: ¿Por qué eres tan feo?

SERPIENTE: ¡Bah! Ése es el problema con ustedes pochos agringados; no pueden apreciar otras culturas.

EVA: ¡Yo no soy agringada! Yo soy chicana.

SERPIENTE: ¡Tu madre!

EVA: ¡La tuya que está en vinagre!

SERPIENTE: Déjame chequear esta ruca.

EVA: Yo no soy una ruca, soy una mujer. Y no me mires así, iguana emplumada.

SERPIENTE: Mamacita, te estoy admirando con toda tu perfecta inocencia.

EVA: No me toques, resbaloso.

SERPIENTE: ¿Qué te pasa, mamacita, ya no te gusta mi movida?

EVA: Quizás me tengo que acostumbrar. La última vez que te vi eras una culebrita.

SERPIENTE: Tengo muchas caras, ya verás. En esta vida soy Coco Roco. Las llamas me salen por la boca y el humo por mis orejas. Mis cuernos son los del toro de la fertilidad y por atrás me cuelga la cola de la sensualidad. Este cinturón de serpiente es prueba de mi machismo.

EVA: ¡Qué bárbaro!

SERPIENTE: ¡Ten cuidado, que una de mis culebras no se escape y... se meta dentro de ti!

EVA: ¡Animal!

SERPIENTE: A ti te encanta.

EVA: ¡Vete o te aplasto!

SERPIENTE: No entiendes nada, ni me aprecias. ¿Verdad, Eva? Porque eres una mujer influenciada por un Dios europeo y tu mente está envenenada!

EVA: No es verdad. Soy mestiza y orgullosa de serlo.

SERPIENTE: Vives en el paraíso adorando al Dios que llegará un día con los conquistadores. Serás la Malinche, la intérprete del hombre blanco, quien traicionará a su propia raza. ¡Serás la amante de Hernán Cortés, y de ti nacerá el primer hijo de la chingada!

EVA: ¡Mientes! ¡No lo creo!

SERPIENTE: (*Aparte.*) Ella piensa que yo no puedo prever el futuro. Bueno, le voy a tener que enseñar un pequeño avance de la historia. Eva, ven acá... ¿Ves ese planeta a lo lejos?

EVA: Sí, es azul y verde.

SERPIENTE: Fíjate en una pequeña isla en el caribe. En el año 1492. ¿La ves? (*Entran Taíno y Colón por el lado opuesto del escenario.*)

EVA: ¿Quiénes son esos hombres?

SERPIENTE: El hombre que lleva la bandera es Cristóbal Colón. El otro casi desnudo, es un indígena de la isla. Se llama Borinquen El Taíno. ¿Puedes oírlos?

COLÓN: Y nosotros tomamos posesión de estas tierras en el nombre del Rey de España...

TAÍNO: (*Perplejo dando vueltas al rededor de Colón.*) ¿Azteca? ¿Maya?

COLÓN: ¡No me interrumpas! Y santo sea el nombre de Dios, vuestro Rey.

TAÍNO: ¿Chichimeca? ¿Zapoteca?

COLÓN: ¿Qué estupideces tratáis de decirnos?

TAÍNO: ¡Inca! ¡Inca! ¿No? ¡Illinois! ¡Ohio! ¿Indiana? (*Se ríe del nombre "Indiana".*)

COLÓN: ¡Chinguéis tu madréis, imbeciléis!

TAÍNO: ¡Ajá! Asia. ¿China? "Aloz flito".

COLÓN: ¡No, no, no! España, Europa. Yo español. ¡Tú, indio, indio!

TAÍNO: ¿Indio? No. Noooooo. Taíno. Taíno. Borinquen. (*Gesticulando a la tierra que lo rodea.*)

COLÓN: No, indio tonto. Esta es la India. Entonces, tú eres indio. Esta isla se llama Puerto Rico. ¿Comprende? (*Habla lentamente como si estuviese hablando a un bruto.*)

TAÍNO: (*Encogiéndose de hombros, le ofrece fruta y tabaco a Colón.*) ¡Hummmmm, guayaba! ¡Plátano! ¡Tabaco!

COLÓN: Hmmmmm. Puro Cubano. Muy bien. ¡Okay! (*Le indica que está cansado después de comer.*) ¿Hotel? ¡Hotel!

TAÍNO: ¿Hotel? ¡No, hotel, no! (*Taíno señala hacia el océano indicándole que debe regresar por donde vino.*) ¡Adiós, *bye bye!*

COLÓN: Espera, amigo, ahora que ustedes son los súbditos de

su majestad, será necesario encontrar empleo. (*Poniendo un acento gringo.*) Creo que vamos a construir el Citcorp Bank aquí mismo...

TAÍNO: ¿Que, qué? ¡Espera, acabo de aprender el español!

COLÓN: Aquí construiremos el *church* y allá el *U.S. Embassy.*

TAÍNO: ¿De qué habla este canijo?

COLÓN: Muy bueno, amigo, aprendes pronto. Mira, ustedes chicanos proveen la mano de obra, nosotros gringos los jefes. Mira aquí, *boy*, después de la conquista...

TAÍNO: ¿Cuál?

COLÓN: Después de que pongamos las *freeways* desde Corpus Christi hasta San Francisco; después que instalemos los restaurantes Taco Bell con su diseño español, habremos creado una gran civilización, tú y yo, un monumento de cooperación entre dos culturas. ¿Qué te parece?

TAÍNO: ¡Órale pues! ¿Cuándo empezamos?

COLÓN: Ahora mismo. La iglesia tiene que construirse primero. Te pagaremos cinco cocos al día.

TAÍNO: Cinco cocos al día... ¡Ése no es un salario decente!

COLÓN: Un momentito, todavía no hemos acabado de conquistar este lugar. Tenemos programados un déficit muy alto y una producción muy baja para los primeros siglos fiscales...

TAÍNO: Bueno, ¿y mi raza? Nos moriremos de hambre.

COLÓN: No importa. Importamos 2,000 mau maus del África para que terminen el trabajo.

TAÍNO: No lo haremos, ¡es la esclavitud! ¡Nos opondremos!

COLÓN: Tenemos una ley que dice que ustedes no se agitarán para formar una unión sediciosa.

TAÍNO: ¡Va a tener que construir su ciudad sobre mi cadáver!

COLÓN: Me da igual, *boy*. Toma un traguito de whisky. Toma un traguito de ron. ¿Quieres varicela? ¿Quieres tuberculosis? *Boy*, yo los amo a todos, su espíritu, ¡ese orgullo noble y salvaje! Sabes que yo soy parte indígena también.

TAÍNO: (*Preparándose a pegarle a Colón.*) ¡Muerte a los gachupines!

COLÓN: (*Sacando un crucifijo.*) ¡Mirad! ¡Mirad la poderosa cruz de nuestro Señor Jesús Cristo! Arrodíllate, indio pendejo, ¡arrodíllate! ¡Siente el poder de nuestro Señor!

TAÍNO: (*Arrodillado.*) Soy tu esclavo. (*Salen Taíno y Colón.*)

SERPIENTE: Como ves, Eva, los europeos usarán el nombre de Dios para conquistar a tu gente y habrá siglos de opresión. Y tu raza de bronce vivirá sus días arañando la tierra para poder subsistir bajo la falsa promesa de un lugar glorioso en el cielito lindo.

EVA: Dios nos prometió que los humildes heredarán la tierra.

SERPIENTE: Sólo el polvo, Eva, sólo el polvo miserable de la pobreza.

EVA: ¿Cómo lo puedo prevenir?

SERPIENTE: Come la fruta del árbol de la sabiduría, la tuna del nopal.

EVA: Dime más.

SERPIENTE: Bajo la luz de la luna de marfil,
en los barrios del viejo Aztlán,
una pirámide alta y gentil
yace en el templo del amor.
Allí sensuales ritos se ejecutarán.
Con mi puñal dorado
la fruta sagrada cortaré.
Sobre la piedra amada
tu corazón yo devoraré

EVA: ¡Qué loco! ¿Me vas a hacer todo eso?

SERPIENTE: Estaba hablando metafóricamente, no me interpretes tan literalmente.

EVA: Eso es lo que me gusta de ti. Eres tan intelectual.

SERPIENTE: Templos que he construido ,
flotantes en medio del vapor;
su tamaño he medido,
y en mezcal busco dormido
en nuestras mentes amor.
Un universo brilla
con la verdad,
como el cosmos que domina
sus estrellas cristalinas
con brillante claridad.

EVA: ¡Ay,ay,ay,ay!

SERPIENTE: ¿Quieres venir a mi altar en la Pirámide de Coco Roco?

EVA: ¿Está lejos de aquí?

SERPIENTE: Un poquito. A través de los Picos de la Duda y dentro del Valle de la Neblina Fascinante. (*Salen.*)

ADÁN: (*Entra con Dios.*) Dios, no sé qué hacer con Eva. Es tan cabezona.

DIOS: Lo sé, yo la hice. Tú, por el otro lado, tienes tu cabeza sobre los hombros, aunque me parece que eres propenso a la calvicie. ¡Caramba, nada es perfecto! ¿Oye, es mi imaginación o quizás estás creciendo? Eres muy grande para tu edad. ¡Apenas tienes unos días de nacido!

ADÁN: Dios, ¿qué voy a hacer con Eva? No es feliz.

DIOS: ¡Infeliz! ¿En el paraíso? ¡Imposible! No lo puedo creer. ¿Ves esas montañas a lo lejos? ¿Te parecen algo chuecas? Déjame enderezarlas. (*Gesticula con sus manos y las transforma.*) Mira ese río, creo que le voy a cambiar el color. (*Otro milagro.*)

ADÁN: ¡Híjole! ¡Qué padre!

DIOS: Quizás también Eva necesite un cambio. ¿Qué te parece si la convierto en gorda, prieta y chaparra?

ADÁN: No, gracias, a mí me gusta como es. A pesar de todos sus defectos, es como una mitad diferente a lo que soy.

DIOS: Qué raro, nunca lo vi de esa manera . Yo, por ejemplo, siempre he sido el Padre , el Hijo, y el Espíritu Santo. ¿Óyeme, no crees que tu nariz es un poquito larga? ¿Te gustaría una más chata?

ADÁN: No, no, está bien así. Déjame decirte algo más acerca de Eva, ella siempre habla del "bebé", el "bebé".

DIOS: ¿El bebé? ¿Cuál bebé? ¡Ay chirrión! Eso solamente significa una cosa. ¡Ella, quiere concebir! Pero, cómo, ¿si ustedes son inocentes? ¿Hay algo que no me han dicho?

ADÁN: ¡Ella dice que si come la fruta del árbol prohibido va a poder concebir!

DIOS: Ha estado hablando con la serpiente. ¡Ahora me doy cuenta de todo! Ese diablo ha enredado a Eva y ahora están encima de una pirámide juntos.

ADÁN: ¡Dios mío, tienes que detenerla! ¡Vamos! ¿Dónde están mis alas? ¿Tomamos el elevador?

DIOS: No, Adán, no te puedo ayudar. Este asunto es entre Eva y su conciencia.

ADÁN: Traté de detenerla.

Sale.

DIOS: ¡Vaya con Dios! (*Desalentado se sienta en una nube.*) Me lleva la... quizás debía haber dejado el arcángel de sereno para que cuidase ese maldito árbol!

Oscuro total. Abajo, Eva yace acostada encima de la pirámide. La serpiente está parada encima de ella con un puñal en su mano.

No es esta tuna, roja y madura
algo que morder; está esa tuna
en la materia gris de tu mente,
chúpala toda, no seas demente.

EVA: ¡Ay,ay,ay! ¡Qué locura!

SERPIENTE: ¿No te gustaría masticar
la fruta prohibida y acabar?
Alimenta tu mente y esta explosión
penetrará en el cielo con emoción.

EVA: ¡Dime más, dime más!

SERPIENTE: Chicana, hembra, mujer del sol, mi ehhh... (*Esforzándose por encontrar más imagines.*) que mi puñal dorado... ¡Se empareje con tu cuerpo de canela!

EVA: ¿Qué vas a hacer, loco?

SERPIENTE: Cortar la tuna.

EVA: Pero es una tuna tan linda, tan roja, tan...

SERPIENTE: ¡Madurita! No te muevas, que no va a doler ni un poquito. (*Se oye música muy estridente.*)

EVA: ¡Noooooo! (*La serpiente corta la tuna.*)

SERPIENTE: (*Comiéndola.*) ¡Hmmmmmm! ¿Guadalajara en un llano, México en una laguna? (*Ofreciéndosela.*)

EVA: ¡No me he de comer esa tuna!

SERPIENTE: Lo sabía, todavía estás muy metida en la religión.

EVA: Es mejor que me vaya, Adán se va a enojar conmigo.

SERPIENTE: ¡Ese fanático religioso! ¡Ni siquiera tiene los huevos para comerse esta fruta!

EVA: ¡Sí que los tiene! (*Le quita la tuna.*) De todas maneras, ¿qué tiene de especial esta tuna?

SERPIENTE: No te han enseñado nada, mi enchilada. Ésta es la fruta del Árbol de la Sabiduría. Cómetela y serás inyectada con la erudición de todos los siglos. Y es más, mi torta, pronto aprenderás a deducir y reducir, y así ganarás control corporativo de los cuerpos humanos.

EVA: No me interesa ese control corporativo; yo lo que busco es sabiduría.

SERPIENTE: Mi pequeña quesadilla, una vez que descubras la rueda, tendrás la mecánica para construir una civilización maravillosa.

EVA: ¿Y mi gente reconocerá esto? Y las mujeres serán apreciadas. (*Truenos y relámpagos se intensifican.*)

SERPIENTE: ¡Mi jalapeño, crearás trillones de hombres y mujeres, así como Dios los creó a su semejanza! ¡Muérdela!

EVA: (*Tambores repican. Eva muerde la fruta.*) Ohhhhhh....

SERPIENTE: ¡Lo hiciste, mi fajita! ¡Lo hiciste! ¡Cuidado, que tiene espinas!

EVA: ¡Ay, me espiné!

SERPIENTE: Claro que sí, junto con lo bonito, viene lo feo. ¡Y yo soy la cosa más fea que te puedas imaginar!

EVA: ¡Dios mío! ¡Ahora lo veo muy claro! ¡Tú eres Satanás! (*Truenos, relámpagos y lluvia copiosa.*)

SERPIENTE: ¡Sí, mujer, soy el mentiroso, el atascado, el borracho, el asesino! ¡Soy el gran chingón!

EVA: ¿Qué cosa he hecho?
Mi mente perdida,
las nubes se escapan, no sé,
mi nobleza herida.
Estoy flotando en el cielo,
mi pureza se fue;
qué lejos está nuestro Edén.
En la tierra quizás quedaré
por muchos años y muchos días.
Pasa mi vida; me afanaré
sembrando huertos, meciendo cunas,

tejiendo a su merced.
SERPIENTE: (*Adán entra.*) Del cielo llegó tu hombre
a verte aquí otra vez.
¿Por qué no le convences
a quedarse a ser tu juez?
Ahora sí, ya me fui,
te veo en un siglo, aquí.

Sale serpiente.

ADÁN: Mi chavalona, ¿por qué?
EVA: La manzana devoré;
late y salta mi corazón,
mis rodillas tiemblan ya,
mi cabeza estallará.
Lo veo claro, al parecer
la tierra yo amaré.
ADÁN: No sabes lo que estás diciendo.
Tu mente ya la estás perdiendo;
nada sirve en esta tierra;
nada más que trabajar.
Del Edén por qué marchar,
Paraíso es nuestro hogar.
EVA: Bato, cómete la fruta,
promete que la gozarás;
muerde, muerde y disfruta,
cómela, no esperes más.
ADÁN: Tonta, tú nos has sacado
del Jardín tan adorado,
de una vida sin temor,
sin muerte, sin dolor, sin rencor.
EVA: Adán, si tú me quieres... ¡Cómetela!
ADÁN: Maldito pecador seré
si hago lo que me pidió.
La vida amada dejaré,
mi dulce mundo perderé.
Más que ella tonto soy
al probar la fruta hoy.

Adán le da una mordida y se atraganta.

EVA: ¡Adán, cuidado que tiene espinas! (*Adán grita con dolor.*) Ay, mi amorcito, ¿Se te clavó en la garganta? ¡Me temo que nunca te las vas a poder sacar!

ADÁN: ¡Me atoré! No te debía haber hecho caso! Tráeme agua.

De repente se oyen los sonidos de la civilización, autos, radios, etc.

EVA: ¡Ay, Dios mío! (*Tiran basura en el escenario.*) Este arroyo está contaminado! (*Respira.*) Y el aire huele a sulfuro!

ADÁN: ¿Qué haces andando desnuda? ¡Vete a poner algo!

EVA: ¡Eso nunca te preocupaba antes!

ADÁN: ¡Pues me molesta ahora! ¡Vete a vestir!

EVA: (*Se pone una falda y le da unos pantalones a Adán.*) Muy bien. Toma. ¿No crees que tú debes ser mas modesto también?

ADÁN: Y cocíname algo, tengo hambre.

Eva: No hay nada que comer, solamente lo que queda de esta fruta. (*Eva mastica la fruta.*) Sabes, creo que siento lo que se llama... frío.

ADÁN: Hay una cueva donde podemos dormir. Ve a buscar leña para un fuego.

EVA: Adán, ¿no puedes decir "por favor"?

ADÁN: ¡Vieja, no me agüites! ¡Déjame tranquilo!

Mientras ellos buscan leña, Dios aparece en una nube.

DIOS: ¡Hola! ¿Me puedes oír?

ADÁN: Por supuesto, Dios, ¿cómo estás?

DIOS: Regular. Es domingo, y estaba admirando la aurora boreal en mi pantalla celestial. ¿Qué están haciendo?

ADÁN: Dios, yo sé que hoy es el día de descanso, pero tengo que terminar este trabajo antes de que oscurezca.

EVA: Adán, ¿con quién hablas?

ADÁN: ¡Shhhh!, no me interrumpas! ¿No oyes que estoy hablando con Dios?

EVA: No puedo oirlo.

DIOS: ¿Qué han hecho?

ADÁN: Pues me parece que Eva y yo vamos a tener un bebé.
DIOS: Ojalá que se hayan divertido.
EVA: ¿De dónde viene su voz?
DIOS: Adán, dile a Eva que de ahora en adelante ella me tiene que hablar usándote como intermediario.
ADÁN: Eva, desde ahora en adelante, sólo los hombres podrán ser sacerdotes.
EVA: ¡Qué me estás diciendo!
DIOS: Parirás los hijos con dolor, amarás vehementemente a tu marido y él te dominará.
ADÁN: (*A Eva.*) Dios dice que por tu culpa nos expulsaron del Edén.
EVA: ¡No lo puedo creer!
ADÁN: Lo haré como mande, mi Señor. ¿Pero, lo veremos de nuevo?
DIOS: Quizás algún día enviaré a mi Hijo... y lo crucificarán. (*Desaparece Dios.*)
EVA: ¡Dios, Diosito, por favor, háblame!
ADÁN: ¡Cállate mujer! ¡Te vas a callar!
¡Reza, reza para que te perdone! (*Obliga a Eva a arrodillarse como un sacerdote ante un altar.*)
A su hijo el Señor nos enviará,
un pastor que guía su rebaño.
En busca de seguro lugar
como Zión, Aztlán o América,
y allí en el Calvario lo crucificarán.
EVA: El Espíritu es libre y etéreo,
flotando en el cielo y la tierra,
elevando a los humanos
da a la vida una razón.
EVA/ ADÁN: La razón de ser.
Y en la muerte no temer, no temer, no.
La razón de ser,
y en la muerte no temer, no temer, no

Obscuro total.

SERPIENTE: (*Música satánica; entrando de nuevo, vestido como un hombre de negocios.*) Y así fue como Adán y Eva se escaparon del Jardín y establecieron un reino en la tierra. Además del fratricidio, genocidio e infanticidio, ha habido guerras civiles, guerras religiosas, y guerras de clase. Ustedes han encendido los fuegos infernales y entraron en mis dominios con sonrisas sangrientas en sus rostros mexicas. ¿Y qué está pasando hoy? Aquí vemos a "Adam" y a "Eve" gozando una vida típica clase media en Los Angeles, California. ¿Esto es lo que llaman el *American Dream?*

Las luces se encienden en la sala de Adán y Eva que está amueblada como si fuera salida de un catalogo de Sears. Entra Adán, abatido, de cuello y corbata, llevando un saco sport sobre un hombro, y un periódico en su mano. La situación pudiera ser la de cualquier telenovela en televisión. Los dos hablan como pochos.

ADÁN: *Eve, I'm home!*

EVA: *Adam, honey*, ¿eres tú?

ADÁN: *Yes, my love.*

EVA: (*Entra usando una peluca rubia y un delantal.*) ¿Cómo te fue en la *office* hoy? (*Adán no contesta.*) ¿Quieres un *cocktail, dear?*

ADÁN: *Yes*, la verdad que lo necesito.

EVA: ¿Notas algo diferente?

ADÁN: Tu cabello, ¿lo pintaste otra vez? (*Eva se acerca a él, moviendo sus pestañas.*) ¡Tus ojos!

EVA: ¡Azules! Lentes de contacto. Y mañana quiero arreglar mi nariz con cirugía plástica. ¿Qué opinas?

ADÁN: No sé...

EVA: Bueno, ¿Cómo anda la bolsa de valores? ¿Hiciste mucho *money?*

ADÁN: Eve, me botaron del trabajo. Ya no soy un ejecutivo para Ferner, Ferner, Farmer, y Fudd.

EVA: Pero Adam, tú estabas vendiendo más que ninguno de los *executives*. No decías que los bonos y las acciones....

ADÁN: ¿No ves las noticias en la TV? Nadie está comprando nada. Todo el mundo está eliminando personal. Y los últimos empleados son los primeros en ser eliminados.

EVA: No te preocupes, Adam, vas a encontrar otro *job*.

ADÁN: ¡No me digas! La diferencia entre los ricos y los pobres es la más alta desde la gran depresión. Eve, ¡podríamos perder esta casa!

EVA: Ay Adam, ¡no podemos dejar que nos quiten nuestra *house!* Para esto hemos trabajado todas nuestras vidas. ¡Todos esos años de colegio, perdiendo nuestros acentos, mudándonos del barrio!

ADÁN: (*Con acento gringo.*) ¡Chingow!

EVA: Dios mío, ¿qué vamos a hacer? Trabajas para lograr ser algo en tu vida y todo se te viene abajo en un día!

Suena el timbre de la puerta.

ADÁN: ¿Quién demonios será?

MATÓN: (*Entra con traje y corbata, extremadamente profesional, portando un maletín y una tarjeta de presentación. También usa lentes oscuros.*) Ustedes no me conocen. Me llamo Matón. ¿Me permite entrar a su cantón?

ADÁN: (*Intercambia tarjetas con Matón.*) Adam Martínez, anteriormente con Ferner, Ferner, Farmer y Fudd. Ésta es mi esposa, Eve.

MATÓN: Siento mucho que haya perdido su jale, señor Mar-Teen-Eez, (*Arremedando la pronunciación de Adán*) pero aquí traigo un producto que quizás usted esté interesado en comprar. Se llama "Sabe".

EVA: ¿"Sabe"? Parece nombre de desodorante. Perdóneme, ¿pero yo no lo conozco?

MATÓN: (*Ignorándola.*) "Sabe" se deriva de la palabra "saber", que significa ser trucha. ¿Ustedes son chicanos?

ADÁN: Señor Matón, a mi esposa y a mí no nos interesan los juegos étnicos. Somos del U.S.A. (*Dan un saludo militar.*) ¿Y para qué necesitamos "Sabe"?

MATÓN: Usted necesita "Sabe" porque los gringos se lo han robado. ¡Ponte abusado! Además de haberle robado su tierra le han robado su cultura y alegan que es de ellos. (*Sarcásticamente usando un acento anglosajón.*) Chile con carne, vaqueros, casas de adobe, ¡Taco Bell! Tome "Sabe" y lo recuperará todo de nuevo. Ahora dígame, ¿por qué cree que perdió su chamba?

ADÁN: Factores económicos: a pesar de la caída de la tarifa de intereses, el índice del precio de los consumidores ha subido.

MATÓN: ¡Puro pedo! Tú "sabes" la verdadera razón, carnal. (*Saca un espejo de su maletín.*)

ADÁN: ¿Qué es eso? ¡No veo nada!

MATÓN: Nel, bato, ¡fíjate bien!

EVA: ¿Eso es "Sabe"?

MATÓN: ¡Simón, que *yes!* ¡Perdiste el jale porque eres mexicano! La única razón por la que te emplearon fue por aquello del "*affirmative action*". Pero ahora todo se terminó.

EVA: ¡Qué babosadas!

MATÓN: ¿Tú crees que porque tú te vistes, actúas, comes y hablas como ellos, te van a aceptar? ¡Mira nomás, fíjate bien, tienes un nopal en la frente! (*El espejo tiene un efecto hipnótico en Adán.*)

EVA: Cuál nopal, ¡yo no veo nada!

ADÁN: ¿Cómo es que "Sabe" nos puede ayudar?

MATÓN: Te crea conciencia de quién eres tú y te da los huevos para tomar acción. Con el súper poderoso "Sabe", podemos derrotar al gringo.

ADÁN: Está bien, dámelo que lo voy a probar. Qué puedo perder...

MATÓN: (*Saca una bomba de su maletín. Eva chilla.*) ¡Órale pues, bato! ¡Aquí está! ¿Qué te parece?

ADÁN: Poderosa, carnal.

EVA: ¡Una bomba!

MATÓN: Ahora sí que lo sabes. (*Cogiendo a Adán de la mano.*) Vamos, que tenemos mucho que hacer. ¡Hay que vengarnos de los pinches gabachos!

ADÁN: ¡Simón que yes! (*Salen los dos.*)

EVA: Adam, ¿a dónde vas? ¡Espérate! ¡Adam! (*Eva va al crucifijo, que es lo único que queda de Dios en la tierra.*) *My God!* ¿Qué vamos a hacer?

SERPIENTE: (*Entra vestido como un cura.*) La pobre Eva no tiene nadie con quién hablar, tsss, tsss. Es muy difícil rezarle a un Jesús de plástico, ¿no creen? Mejor para mí. Perdónenme, tengo que socorrer las necesidades del rebaño. (*Va hacia ella.*)

EVA: (*De rodillas como para confesarse.*) Padre, Padre Ladrón.

PADRE LADRÓN: Sí, hija mía, te oigo firme y claramente.

EVA: Padre, estoy preocupada porque Adam está saliendo demasiado. Se queda afuera toda la noche en lo que ellos llaman sesiones de solidaridad. Por el día va a mítines y manifestaciones callejeras.

PADRE LADRÓN: Si los hombres se ocuparan solamente de las cosas espirituales en vez de meterse en la política, serían más felices.

EVA: Hablan de derrocar el Estado por cualquier medio que sea necesario.

PADRE LADRÓN: ¡Qué retórica tan militante! Eva, ¿Adán se ha vuelto comunista?

EVA: Dice que los pobres derrocarán a los ricos y crearán una sociedad justa.

PADRE LADRÓN: ¡Lo sabía! ¡Los comunistas son el Anticristo! ¡Y las fuerzas de Lucifer se están congregando bajo la bandera roja del socialismo!

EVA: ¡Hasta tiene una pistola!

PADRE LADRÓN: Mi promesa de guardar silencio me prohibe hablar, pero tienes que llamar a la policía. Pregunta por el Sargento Taco del Pelotón Rojo.

EVA: Adam se siente frustrado porque perdió su trabajo y no encuentra otro.

PADRE LADRÓN: Y también están en peligro de perder su casa. Sabemos eso porque nosotros tenemos las letras de la hipoteca.

EVA: Padre, ¿puede hacer algo por nosotros?

PADRE LADRÓN: Sí. ¿Han hablado tú y Adán acerca de su vida en el más allá?

EVA: ¿Que, qué?

PADRE LADRÓN: De una tumba. ¿No quieres dormir el sueño eterno en tierra bendecida? ¡Entonces tienes que hacer tus reservaciones por adelantado!

EVA: Yo no quiero saber nada de mi tumba. ¡Quiero saber cómo puedo salvar a Adam!

PADRE LADRÓN: Reza, Eva, reza. Y mientras esperas les diré a los muchachos en el departamento de publicidad que te envíen unos folletos. Creo que los hoyos cuestan solamente $230 al mes por el resto de la vida. ¿Algo más? ¿Alguna desviación sexual o sentimientos de lujuria desaforada?

EVA: ¿Por qué me pregunta eso?

PADRE LADRÓN: (*Acercándosele.*) Eva, uno tiene que atajar estas prácticas cuando brotan...¡O tus órganos sexuales se te pueden secar! (*Trata de acariciar a Eva.*)

EVA: ¡Padre!

PADRE LADRÓN: ¡Yo sé todas esas cosas, créeme!

EVA: ¡Yo no sé por qué vengo a esta iglesia! Deben de tener mujeres que sean curas!

PADRE LADRÓN: ¡Shhhh! Cálmate, nomás estaba vacilando. Bueno, por ahora puedes rezar cinco Ave Marías y diez Padre Nuestros. ¡Y no te olvides que hay bingo los jueves y tenemos un desayuno especial de menudo para los que tengan crudas el domingo! ¡Amen!

EVA: ¿Qué diablos es usted? ¡Aquí no vuelvo más! (*Sale.*)

PADRE LADRÓN: ¡Vete a la chingada! !Métete en un culto satánico!

DIOS: (*Aparece en las alturas.*) ¡Diablo miserable!

SERPIENTE: ¿Ehhh? ¿Alguien dijo algo?

DIOS: ¡Te estás burlando de mi Iglesia!

SERPIENTE: No que te habías convertido en un Jesús de plástico?

DIOS: ¡Te voy a enseñar lo plástico que soy después que te retuerza el cuello! (*Persigue a la serpiente.*) ¡Estás pervirtiendo a mis feligreses!

SERPIENTE: Mira, como si la Iglesia fuera tan santa. Acuérdate que en Roma los papas castraban a los chicos del coro para que cantaran como sopranos.

DIOS: ¡Vicioso! ¡Odioso!

SERPIENTE: ¡Cuando en Roma, a la romana! (*Dios lo atrapa.*) ¡Ay, ay, pégame, flagélame, me encanta!

DIOS: Y yo creía que te había encerrado en el infierno.

Rasgándose la ropa, escapa y se le enfrenta a Dios en ropa interior.

SERPIENTE: ¿Y dónde crees que estás? (*Dios retrocede sus pasos.*)
Fíjate bien, ves la locura,
la avaricia y la gula,
perversidad de todas las clases,

licenciosos en todas sus fases.
Éste es mi Reino, éste es mi Reino.

DIOS: ¿Oh, cómo puede ser?
¿Estoy ciego o mudo?
¿Dónde está mi rebaño?
¿Dónde está mi Iglesia?
¡Qué pasó, Dios mío!

SERPIENTE: Fíjate en las aguas negras.

DIOS: Yo veía un río azul.

SERPIENTE: Drogadictos inyectándose.

DIOS: Poetas recitando versos.

SERPIENTE: Basureros por todos lados.

DIOS: Lindas flores en los prados.

SERPIENTE: Hambrientos en las calles.

DIOS: Cosechas en los valles.

SERPIENTE: Fíjate en las aguas negras, drogadictos inyectándose.

DIOS: Yo veía un río azul, poetas recitando versos.

SERPIENTE: ¿Dónde crees que estás?
Fíjate bien, ves la locura,
la avaricia y la gula.

DIOS: ¿Oh, cómo puede ser?
¿Estoy ciego o mudo?
¿Dónde está mi rebaño?

SERPIENTE: ¿Dónde crees que estás?
¡Esto es mi reino!

DIOS: (*Hablando.*) ¡Tengo que enseñarles que soy quien soy! (*Sale.*)

EVA: (*Entrando en otra parte del escenario. Adán entra vestido como un príncipe Azteca.*) Adam, ¿dónde has estado? Mira nomás, estás casi desnudo. ¿Qué cosa es esto?

ADÁN: ¿No te das cuenta? Estoy siguiendo los pasos de nuestros antepasados indígenas. En el fondo eso es lo que somos: ¡Aztecas!

EVA: Ay, Adam, ¡no vivas en el pasado!

ADÁN: Y deja de decirme "Adam", que no es mi nombre.

EVA: Adán, pues.

Adán; ¡Chale! Desde ahora en adelante mi nombre es Mexatexa!

EVA: ¿Mexatexa?

ADÁN: Como lo oyes, y quítate esa peluca rubia tan estúpida. (*Le destroza la peluca.*)

EVA: ¿Te gustaría más si fuese trigueña?

ADÁN: Me gustas más como chicana.

EVA: ¡Ay, Adán, te quiero mucho! (*Se acarician.*) Pero dime qué te pasó, parece que hace días que no duermes.

ADÁN: Estuve en una ceremonia del peyote con mis hermanos indígenas. Tuve que despojarme de mi parte gringo-gachupín y vestirme como soy realmente, ¡Azteca hasta las cachas!

EVA: (*Quitándole las plumas.*) Adán, ¡no hagas el ridículo!

ADÁN: (*Herido.*) Lo que pasa es que tú no tomas el movimiento seriamente. (*Comienza a irse.*)

EVA: ¿Ahora dónde vas?

ADÁN: ¡A una ceremonia de sacrificio!

EVA: ¿El sacrificio de quién? ¡No el tuyo!

ADÁN: No, el de un gringo. El primero que encontremos... ¡Lo vamos a sacrificar ante los Dioses.

EVA: Adán, espérate, no puedes... (*Sale Adán.*) Ay, ¡Dios mío! (*Eva canta.*)

Dios de mi alma,
oye mi ruego;
soy una mujer,
vivo en un mundo, en un remolino,
en un caos nuclear,
Sales de tu casa, ellos te amenazan,
gente corrupta,
Cadillacs que atrás, muertos llevarán
narcotraficantes
¿Por qué es así?

Yo no se por qué, Adán es un hombre
que lucha sin cesar.
Dios, quiero saber, qué puedo yo hacer
si quiero ayudarlo.
Por qué lucharemos, cuál lado tomar;
la guerra es sangrienta,
la muerte nunca miente.
Los puedes curar, no puedes borrar

ese odio inmenso,
oh, Dios.

DIOS: Te oigo, hija mía, cantando muy claro
desde Los Angeles.
Mira al firmamento sin cerrar los ojos.
Estoy frente a ti.
Busca la señal, es fácil de encontrar.
Quiere a tu prójimo.
Tienes que saber, tienes que aprender
la paz entre hermanos.
Aquí como allá, el hombre fallará
en creer en su prójimo.

EVA: Ay, volviste después de tantos años.

DIOS: Yo nunca te abandoné, Eva; he estado siempre en tu corazón.

EVA: ¡Hay tantas cosas de las que tenemos que hablar! ¿Por qué no vienes a comer? Habrá pan y vino.

DIOS: ¡Mi comida favorita!

EVA: Dios mío! Casi se me olvida. Tienes que ayudar a Adán. Dice que va a matar a un gringo esta noche.

DIOS: Seguro que está pistando en la cantina, ¿qué no?

EVA: Sí, vamos que te llevo. (*Salen.*)

ADÁN: (*Luces se encienden en un Bar. Adán está sentado en una mesa, tomando.*)

¿Qué es lo que voy a hacer?
Un gringo voy a matar.
Esta noche va a apagar
su vela como un candil.
Mi bala le acribillará
su corazón de un tirón.
Cuando salí hoy
Eva me insistió.

EVA: (*De afuera.*) Si ayuda necesitas,
de Dios la solicitas.
Llama su dulce nombre.
La fe abraza al hombre;
Él nunca te abandona.
Si lo llamas, te perdona.

ADÁN: Todavía yo lo dudo.

Mis amigos testarudos
me señalan con el dedo.
Los gatillos ya están prestos:
sólo un gesto y tirarán.
Muchos hombres morirán.
(*La muerte se aparece a Adán.*)
¿Quién eres tú?

MUERTE: Soy la muerte. ¿Me llamaste?

ADÁN: ¡Sí, ven conmigo esta noche! ¡Mataré un gringo desgraciado!

MUERTE: ¡Maravilloso! Aquí estoy para servirte. Mi trabajo está garantizado cien por ciento. Me especializo en ahorcamientos, desmembramientos, envenenamientos, etc. ¡También tenemos una venta especial de fuego, desnutrición, mordidas de ratas, y violaciones!

ADÁN: La muerte rondará
y en fantasma mutará.
A cazar la presa
y buscaremos,
con serpientes lo ataremos
y a las ratas lo echaremos

MUERTE: La muerte rondará
y en fantasma mutará.
Tu pobre corazón
como fruta morderá.
Muchos hombres morirán
podridos en la calle.
No hay perdón en odio,
sólo un alma de convulsión,
y pudriéndose...

ADÁN: ¡Ay, muerte, me das escalofríos!

MUERTE: ¡No te preocupes que para donde vas hay mucho calor! ¡Ja,ja,ja!

ADÁN: ¡Espera ... Yo no quiero hacer esto!

MUERTE: ¿Que qué? Ya es muy tarde. Lo siento. Después que firmes el contrato no te puedes echar atrás. ¡Además, tú eres macho y esto es un desmadre de machotes!

ADÁN: ¡No! ¡Noooo!

MUERTE: (*Sacando un cuchillo.*) Entonces, la mera neta. ¿Cuál es tu gusto? ¿Con un cuchillo? (*Saca una pistola.*) ¿O con una pistola? ¿O quizás quieras ponerles una bomba? ¡O cortarlos en pedacitos para enseñarles lo fiero y salvaje que puedo ser! ¡Lo que quieras! ¡Hasta le podemos arrancar sus corazones y bebernos su sangre hirviente!

ADÁN: ¡Muerte, déjame!
¿Dios mío, seré yo?

MUERTE: (*Apunta una pistola a la cabeza de Adán.*) ¿Estas listo a morir por la revolución?

ADÁN: Tengo todo que perder.
¡Ayúdame, ayúdame a escoger! (*Muerte comienza a apretar el gatillo.*)

EVA: (*Entrando con Dios.*) ¡Espera!

DIOS: (*Congela a la muerte.*) Adán,
no pienses sólo en matar
y morir;
es igual.
Piensa sólo en matar
y nada te salva
de tu mano malvada.
No pienses sólo en matar,
la Muerte es la víctima
de su propio llamado.

SERPIENTE: (*Saliendo de su parálisis, y convirtiéndose en la Serpiente otra vez.*)
Él morirá.
No te atrevas,
yo soy el rey
de la pocilga.
Adán pasó.
Su día llegó
de acompañarme
a la maldad.

Le dispara a Adán, quien cae. Eva grita y corre hacia él.

EVA: ¿Diosito mío, por favor, no puedes hacer algo?

DIOS: (*Camina hacia Adán muy dramáticamente.*) ¡Levántate, Adán! ¡Dije, levántate! (*Nada pasa. La Muerte se ríe.*) Resucité a Lázaro ... (*Tratando otra vez.*) ¡Adán, levántate, en el nombre de Dios! (*Adán se levanta milagrosamente mientras se escucha música divina.*)

EVA: ¡Gracias, Dios! (*Abrazando a Adán.*)

DIOS: ¡De nada!

SERPIENTE: ¡Cristiano, me has contrariado demasiado!

DIOS: No tema, hijos, les aseguro,
la justicia está en manos del puro.

SERPIENTE: Yo soy la única justicia.
¿Como te cae esa noticia?

EVA: Ríndete, demonio. Este hombre es Dios.

SERPIENTE: Si Él es Dios, lo abofeteo. (*Abofetea a Dios.*)

DIOS: ¡Ayy!

SERPIENTE: Oh, ven cristiano,
la otra mejilla pon,
para que mi puño
te dé, cabrón.

EVA: ¡Dios, no permitas esta agresión!

ADÁN: ¡Hay que darle en el mero .... corazón!

DIOS: (*Dándole una golpiza a la serpiente.*) ¡Así es como devolver el don!

SERPIENTE: (*Revolcándose en el suelo y gritando.*) No es justo, ¿no que eres un pacifista?

DIOS: Puedes dar la mejilla una vez, ¡pero dos veces es demasiado!
Final de escena en El Jardín.
Versión chicana con sabor
de una raza cósmica de amor.
Queden alegres, sin temor.

SERPIENTE: Un momento, hay más que hablar.

DIOS: ¿Contigo? ¿Sobre qué?

SERPIENTE: Sobre la relación entre Dios y el Diablo. Por favor, te prometo que me voy a portar bien. ¡Estoy cansado de este maldito trabajo! ¡Hace tanto calor! ¿No ves que me atormenta?

DIOS: Bueno, a lo mejor has cambiado. Quizás te pueda conseguir una chamba en el Purgatorio.

SERPIENTE: Eso me encantaría.

DIOS: Ahora que escuchó la historia,
tiene que saber

que le agradecemos
que la obra vino a ver.

CORO: Ahora que escuchó la historia,
tiene que saber
que le agradecemos
que la obra vino a ver.

ADÁN: Todo el mundo sabe,
la Serpiente es deshonesta.
Comió la fruta y se empachó,
y esa fue su destrucción.

EVA: En la tierra repetimos
¿Qué pasó en el Edén?
El Diablo fue tan tentador
que puso en duda a mi Señor.

CORO: Ahora que escuchó la historia,
tiene que saber
que le agradecemos
que la obra vino a ver.

SERPIENTE: Se supone que serpientes
entre nopales vivirán,
pero yo no soy tan malo,
por favor no me reciban mal.

DIOS: Déjame decirte algo
de extraño parecer.
En ti viven Dios y el Diablo
reconcílialos sin temer.

CORO: Ahora que escuchó la historia,
tiene que saber
que le agradecemos
que la obra vino a ver.

El Jardín se estrenó en el Riverside Park de Nueva York, durante la gira de verano del Teatro Rodante Puertorriqueño en 1988, con el siguiente reparto:

GOD, CRISTOBAL COLÓN:	Jack Landron
ADAM, TAINO:	Tony Mata
EVE:	Irma-Estel Laguerre
SERPIENTE, MATÓN, PADRE LADRÓN, LA MUERTE:	Carlos Carrasco
MÚSICA:	Sergio García-Marruz
COREOGRAFÍA:	Martial Roumain
ESCENOGRAFÍA:	Craig Cliper
VESTUARIO:	Laura Drawbaugh
PRODUCTORA:	Miriam Colón
DIRECCIÓN:	Jorge Huerta